LE GARÇON AUX YEUX GRIS

Aux Éditions Fayard :

Le Secret du Jour J.
L'Orchestre rouge.
Le Dossier 51.
L'Erreur.
Les Sanglots longs.
Le Pull-Over rouge.
Les Gens d'ici.
La Longue Traque.
Les Jardins de l'Observatoire.
Le Secret du Roi (I *La Passion polonaise*).
Le Secret du Roi (II *L'Ombre de la Bastille*).
Le Secret du Roi (III *La Revanche américaine*).
Lettre à deux juges françaises décorées de la Cruz de Honor de la Orden San Raimundo de Peñafort.

Chez d'autres éditeurs :

Les Parachutistes, Le Seuil.
Casanova, J'ai Lu.
Le Grand Jour, Lattès.
Un homme à part, Barrault.
Le Dérapage, Mercure de France.
Paris sous l'Occupation, Belfond.
Le Soldat perdu, Noesis.
Notre ami le roi, Gallimard.
Christian Ranucci, vingt ans après (en coll.), Julliard.
Le Goût du secret, Arléa.

Livres pour enfants :

La Petite Bande, Ramsay.
Pourquoi les guerres ?, Le Seuil.
Ruse de guerre, Bayard.

Gilles Perrault

Le garçon
aux yeux gris

Fayard

1

Le sourire du pilote la choqua. Si fugace qu'ait été le passage de l'avion à cent mètres à peine au-dessus de la route, et dans son axe, elle enregistra l'image avec une précision photographique et sut que le temps échouerait à en estomper la netteté, à supposer qu'elle ne mourût pas dans l'instant – hypothèse raisonnable. Le sale type souriait. Les balles de ses mitrailleuses perçaient la carrosserie des voitures avec un fracas de casseroles chahutées, crépitaient sur l'asphalte, lacéraient des chairs en faisant se lever vers le ciel d'un bleu cynique une moisson de gémissements et de cris comme elle n'en avait encore jamais entendus que dans la clinique de Neuilly où elle avait par deux fois accouché. Un cheval hennissait avec enthousiasme. Quand l'avion fut passé, elle prit conscience du martèlement des poings de Sylvie sur ses flancs. Elle tenait la petite couchée sous elle, au creux du fossé. Elle l'étouffait. Basculant sur le côté, elle desserra son étreinte. Sylvie aspirait l'air goulûment et l'expirait avec un sanglot rauque. Les semelles de Philippe étaient à dix centimètres de son visage. Son fils était à plat ventre, les poings crispés sur les oreilles, le corps secoué par un tremblement spasmodique. Un peu plus loin, assise dans le fossé, une femme d'une quarantaine d'années, la jupe haut retroussée sur ses cuisses ouvertes, considérait la fillette ruisselant de sang qu'elle tenait dans ses bras avec autant de stupéfaction que s'il s'était agi d'une inconnue tombée de l'avion. Le revoilà ! cria un homme. La sirène lugubre lui écorcha les nerfs. Tandis qu'elle s'allongeait sur sa fille en prenant appui sur ses coudes pour se faire plus légère, elle vit avec épouvante Philippe se redresser et sortir du fossé à quatre pattes. C'était bien de lui. Le génie de l'incongruité. L'angoisse lui trouait la poitrine. Elle voulut hurler, mais son cri lui resta dans la gorge. De l'autre côté de la femme toujours assise et toujours stupéfaite, un jeune garçon jaillit du fossé, plaqua aux chevilles Philippe qui, déjà, galopait vers le champ de blé, et, le tenant étroitement enlacé, revint en roulant sur lui-même à l'abri du fossé. L'avion était là. Ce n'était plus le crépitement de machine à coudre des mitrailleuses, mais le halètement saccadé d'un petit canon. Robert aurait su dire le calibre. Les obus éclataient avec un bruit mat aussitôt suivi de stridences métalliques. Toute proche, une forte explosion l'assourdit tandis qu'une onde de chaleur lui cuisait la peau. Sa Juvaquatre, probablement. Le hennissement du cheval s'interrompit net. Ça sentait la tôle brûlante et la chair grillée. Une poussière âcre saturait l'air. Elle se sentit devenir toute molle, vidée de son énergie comme on vide l'eau d'un pichet. Ils allaient crever tous les trois dans ce fossé et c'était de sa faute. La terreur bloquait les larmes qui lui venaient aux yeux.

La sirène s'éloignait. Elle leva la tête. Tiré par le jeune garçon, Philippe sortait du fossé. Elle l'appela. Il tourna brièvement vers elle un visage de vieillard de dix ans et elle eut l'impression bizarre qu'il ne la reconnaissait pas. L'autre garçon l'entraînait. Celui-là pouvait avoir une quinzaine d'années. De sa main libre, il eut un geste sec ordonnant de le suivre. Elle se mit à genoux, suffoquant d'indignation, prit Sylvie dans ses bras et se releva, bien décidée à récupérer son fils. Comme si elle possédait cinq paires d'yeux elle vit en simultané sa Juvaquatre en feu, le cheval toujours attelé à la charrette mais flageolant sur ses jambes et perdant tripes et boyaux par la plaie ouverte dans son flanc gauche, la femme stupéfaite désormais décapitée et couchée en travers de la fillette, la famille de paysans allongés dans le fossé, les uns indemnes, les autres non, et, plus loin sur la route, un chaos de véhicules disloqués dominé par le camion de déménagement qui brûlait en crachant des flammes orange. Elle enregistra avec plaisir que le capitaine coiffé en brosse avait été touché : son ordonnance était penchée sur lui.

Le champ de blé avait été fauché sur une profondeur d'environ cent mètres. La moissonneuse était toujours là, abandonnée au milieu de la pièce par un cultivateur qui avait sans doute, lui aussi, mis cap au sud. Tenant Philippe par la main, le garçon cavalait vers la partie intacte. Elle s'élança à leur poursuite en se tordant les pieds sur le sol hérissé de chaumes. Les croquenots de marche que Robert lui avait offerts pour Noël auraient été d'un meilleur usage que ses escarpins rouge coquelicot. Il lui sembla entendre de nouveau la sirène. Ses jambes lui manquèrent et elle tomba à genoux, laissant

échapper Sylvie dont la tête heurta dure-
ment la terre fendillée par la chaleur de ce
juin radieux. La petite poussa des hurle-
ments hystériques. Elle n'avait pas cessé de
pleurer et de crier depuis le début de l'attaque, utilisant tous les registres, du sanglot
étouffé au cri d'orfraie. Mais tais-toi
donc ! Elle avait envie de l'étrangler. Soudain le garçon fut là. Philippe continuait à
courir vers les blés comme s'il était seul au
monde, le petit salopard. Le garçon planta
Sylvie sur ses épaules et repartit au galop.
L'enfant cessa aussitôt de pleurer. Elle suivit aussi vite qu'elle pouvait, le mugisse-
ment de la sirène prenant sa tête en étau,
convaincue que son cœur allait éclater,
qu'elle devenait folle, qu'une balle ou un
obus allait la cueillir, mais elle arriva saine
et sauve dans les hauts blés et, avec ses
deux enfants et le garçon, regarda l'avion
remonter la route tel un laboureur mania-
que reprenant inlassablement le même
sillon.

2

Elle écoutait le silence avec ravissement. Ils marchaient tous les quatre sur un chemin de terre qu'ils avaient trouvé après avoir traversé le champ de blé. Le bruit de leurs pas était assourdi par l'épaisse couche de poussière. Toujours à califourchon, Sylvie, l'air absorbé, suçait son pouce gauche et lissait de la main droite le crâne tondu de près du garçon. Quand elle réaliserait que sa niouniou avait brûlé avec tous les bagages, on aurait droit à un nouveau concert. Philippe, sérieux comme un pape, tenait la main du garçon. C'était agaçant, cette façon de prendre possession de ses enfants. Il n'avait pas répondu quand elle lui avait reproché d'être sorti du fossé en emmenant Philippe sans crier gare. En fait, il avait sauvé Philippe quand celui-ci, avec son talent pour le contretemps, s'exposait au tir de l'avion qui arrivait sur eux, puis il les avait probablement tous sauvés en les faisant sortir du fossé juste après le passage du sale type, avec assez de temps devant eux pour gagner les blés, même si ça s'était joué ric-rac. Bon, il avait eu raison, mais ce n'est pas une raison. Elle le trouvait antipathique. A ses questions, il avait répondu de si mauvaise grâce qu'elle n'avait pas insisté. Seize ans, originaire de Boulogne-sur-Mer, ses parents perdus pendant le bombardement de la gare d'Abbeville, il ignorait s'ils étaient vivants ou morts, il était monté dans un camion qui était tombé en panne du côté de Chartres et avait continué sur un vélo qui avait à son tour rendu l'âme. Il ne savait pas où il allait, il se contentait de suivre le flot. Avec ça, attifé comme l'as de pique. Seules ses chaussures marron étaient potables. Un pantalon bien trop grand, bleu pétrole, qu'il avait retroussé pour ne pas s'emberlificoter les pieds dedans. Le bout de corde qui tenait lieu de ceinture servait surtout à empêcher le falzar de bâiller. Pour le tenir, une paire de bretelles d'un violet agressif. La chemise blanche – enfin, qui avait été blanche – s'ornait d'un plastron froncé d'un ridicule achevé. Tout du clown. Il est vrai qu'il n'était pas le seul. A Vendôme, elle avait dépassé une carriole pleine de meubles hideux au sommet desquels trônait une jeune femme en robe de mariée. N'empêche qu'il n'était pas sympathique.

Pour être honnête, elle devait reconnaître qu'elle en voulait au monde entier, et même à ses enfants, même à sa Sylvie tant chérie précipitée à six ans dans une inconcevable catastrophe, parce qu'elle ne se pardonnait pas son erreur. La dernière semaine de mai, quand les choses prenaient vraiment mauvaise tournure et que la France commençait de se vider du nord au sud comme un sablier, avec ces centaines de milliers de réfugiés répandus sur les routes, Robert l'avait appelée au téléphone. Quant à savoir comment il s'était débrouillé, mystère et boule de gomme. On pouvait compter sur Robert pour trouver un téléphone et obtenir la communication dans les circonstances les plus extravagantes. Tout allait bien. Pour lui, car pour le reste... Il ne pouvait pas dire d'où il appelait : secret militaire. Robert tout craché. Bref, elle ne devait surtout pas bouger. L'exode était une folie. On n'allait quand même pas recommencer à croire à ces histoires grotesques de 1914, avec les petits garçons auxquels les Allemands coupaient le poignet droit pour qu'ils ne puissent plus tenir un fusil et les petites filles violées à la baïonnette. Donc, rester avenue Victor-Hugo, faire des provisions et attendre calmement la suite des événements. Elle n'avait pas eu à se forcer pour acquiescer. Le quartier s'était vidé au point qu'on se serait cru un 15 août. Tous ces pétochards la dégoûtaient. Aux militaires de tenir, aux civils de se tenir. Paris n'était pas menacé par des hordes barbares. Le père de Robert, qui avait laissé un bras au Chemin des Dames et ne manquait aucune réunion de réconciliation entre anciens combattants naguère ennemis, répétait que l'armée allemande n'avait pas changé : stricte, rigide même, mais irréprochable sur les principes. Beaucoup d'officiers parlaient en souriant du caporal bohémien Hitler.

La conversation avec Guy de Laraudie avait tout changé. Maria étant occupée à donner son bain à Sylvie, elle était descendue acheter du pain chez le boulanger de la rue Mignard. Au retour, une moto avait freiné sec à sa hauteur. Sur le tan-sad, Laraudie. Ils s'étaient rencontrés chez les Dupontel et elle avait fait équipe avec lui au rallye Saint-Séverac, à l'automne 38, quand Robert avait été rappelé sous les drapeaux. Un très chic type. Il avait l'air exténué. Comment, pas encore partie ? Mon cher Guy, la propriété de mes beaux-parents se situant à Chantilly, je ne vois pas pourquoi j'irais à la rencontre de l'envahisseur. Il n'avait pas ri. Ce tic qui lui faisait passer la main sur le sommet de son crâne comme s'il espérait y retrouver, miraculeusement repoussés, les cheveux emportés par une calvitie précoce. Paris risquait de devenir dangereux. Oui, l'avance allemande, naturellement, mais pas seulement. L'état-major, où il servait au Deuxième Bureau, gardait un œil sur le front intérieur. Les banlieues bougeaient. On craignait un coup de force des communistes, Thorez à l'Élysée, une nouvelle Commune. A votre place, chère amie, je n'hésiterais pas à filer. La moustache du conducteur de la moto frémissait telle-ment il se retenait pour ne pas rigoler. Un jeune troufion pourvu d'un pif impression-nant. Celui-là, la perspective de voir Thorez à l'Élysée ne lui déplaisait pas. Évidemment, placé comme il l'était, Guy ne se rendait compte de rien. Elle avait bien envie de dénoncer le Cyrano, mais depuis l'école elle détestait les cafteuses.

Paris bientôt à feu et à sang, et elle continuait de réagir en gamine. Au moment de Munich, justement, alors que Robert revêtait son uniforme de lieutenant et qu'elle se moquait de lui parce qu'il avait quand même pas mal grossi, il lui avait lancé : Le problème, c'est que ta consternante frivolité t'empêchera toujours de mesurer la dimension tragique de l'événement. Eh bien, pour le coup, elle la prenait, la mesure, elle barbotait dans l'événement. A la tête de sa batterie d'artillerie, Robert n'avait sûrement pas vu l'ennemi d'aussi près qu'elle. Le sourire de ce saligaud.

Même le physique du garçon la mettait mal à l'aise. Il n'était pas exactement laid. Une tête intéressante, les pommettes hautes, la bouche bien ourlée, la peau appétissante, dorée comme un pain, et, sous la défroque, on devinait une silhouette déliée. Quelque chose n'allait pas. Voilà : à seize ans, il n'avait pas l'air d'un adolescent. On ne l'imaginait pas forcissant et grandissant. Comme si la nature avait décidé que son boulot était terminé et qu'elle en resterait là. Il était prématurément achevé. Ses yeux auraient pu le sauver. Ses grands yeux gris. Le problème, c'est qu'il ne vous regardait jamais en face. Pendant qu'elle le questionnait, il avait la tête en biais et l'œil faux-jeton.

Là-haut, sur ses épaules, Sylvie commençait à s'agiter. Il posa ses mains sur ses genoux pour la faire tenir tranquille. Allons, Sylvie, tu fatigues Jean. Il s'appelait Jean. La petite tourna la tête vers elle et gazouilla de joie. Bonne nature. Les enfants ont de la ressource. Mais pourquoi Sylvie pointait-elle l'index sur elle en rigolant comme une bossue ? Elle baissa la tête et découvrit avec horreur la tache sombre qui maculait le devant de sa jupe de toile. Elle s'était pissé dessus. Elle se sentit devenir pourpre. Envie de pleurer. Marre d'être toujours celle qui n'est pas à la hauteur. Condamnée au ridicule. Même dans la dimension tragique, comme dirait l'autre. Il aurait été exaspéré, Robert. Elle le détestait quand il faisait sa bouche pincée de polytechnicien sorti dans la botte. Mais là, franchement... Les autres versaient leur sang, elle, elle lâchait sa pisse. Maintenant, le garçon la regardait en face. Il avait tout de suite remarqué, bien sûr. Et Philippe aussi, qui tournait enfin la tête vers elle alors qu'il la snobait depuis le champ de blé. C'est la petite, dit-elle au garçon, j'étais couché sur elle dans le fossé. Mais il avait la culotte de Sylvie sur sa nuque et il devait bien savoir qu'elle était sèche. Il approuva gravement d'un hochement de tête, ses yeux gris toujours rivés dans les siens. Peut-être avait-il un bon fond, malgré tout. L'embêtant, c'était l'ampoule qui grossissait sur son talon droit et commençait à la faire boitiller. Fichus escarpins.

3

La maison était hermétiquement close. Le garçon et les enfants en avaient fait trois fois le tour sans trouver la moindre faille. Portes verrouillées, persiennes fermées, soupiraux protégés par d'épais barreaux. Une baraque datant probablement du début du siècle qu'on avait affublée d'une tour carrée pour lui donner grand genre. Bourgeoisie de province. L'heure n'était pas à faire la fine bouche. Elle se sentait crevée. Le chemin de terre qui semblait ne mener nulle part débouchait en fin de compte sur une petite route dont le bitume avait fondu par plaques sous le soleil. Ils avaient traversé un hameau de masures en torchis coiffées de chaume. Pas âme qui vive. Un peu plus loin, une vieille femme édentée, ses cheveux blancs lui descendant jusqu'aux épaules, avait surgi d'une cabane à lapins en leur criant des onomatopées dénuées de sens. Elle avait fait peur à Sylvie. Mais non, poussinette, ce n'est pas une sorcière, simplement une dame un peu dérangée. La route s'enfonçait dans des bois. L'ombre fraîche était bienvenue après cette épouvantable chaleur. Son talon droit était en sang et une seconde ampoule prospérait sur le gauche. Elle avait fini par extirper ses pieds gonflés des escarpins et marchait sur le bas-côté herbu. Ils n'allaient pourtant pas arpenter les routes jusqu'à la nuit. La grande allée bordée de hêtres fut un soulagement. Il lui était évident qu'il y aurait du monde au bout. On s'occuperait d'eux, on les nourrirait, on les choierait. Bernique ! Assise sur la pelouse, avec son aine qui la démangeait maintenant qu'elle savait et ses talons à vif, elle devait se retenir pour ne pas engueuler ses enfants qui, excités comme des puces, couraient en criant et en riant autour de la maison inexpugnable.

Elle n'avait jamais été aussi lasse. Les images qu'elle avait enregistrées aussi froidement qu'une caméra lui revenaient avec une violence harassante. La femme décapitée vautrée en travers de sa fille. La pauvre n'arrêtait pas de se lamenter parce qu'on lui avait volé son sac avec toutes ses économies et la gosse tentait de la consoler d'une voix morne. Le gros percheron qui ravissait Sylvie chaque fois qu'il lâchait du crottin. Le grand-père aux moustaches gauloises avec son trou dans le ventre où le sang bouillonnait. Le seul qu'elle ne parvenait pas à plaindre, c'était le capitaine coiffé en brosse. Lui et son ordonnance avaient rejoint la colonne avec autant de naturel que s'il s'était agi d'une queue devant un cinéma. Ahurissant. L'ordonnance poussait une brouette chargée d'une cantine en fer verte. D'où sortaient-ils, ces deux zèbres ? A l'approche de la Loire, chaque route adjacente déversait sur la nationale son lot de pèlerins trimbalant valises et sacs. Mais un officier ! Bêtement, elle en avait eu honte pour Robert. Le plus drôle, c'est que le type faisait martial au possible : tête carrée, menton à la Benito, maxillaires crispés. Toujours le nez en l'air. C'est lui qui avait crié : Stuka ! Au fossé ! Après tout, il leur avait peut-être sauvé la vie.

Le garçon et les enfants la rejoignirent sur la pelouse. Philippe et Sylvie la regardaient avec une confiance désarmante, comme si elle gardait le pouvoir de faire surgir une table bien garnie et des lits douillets. Pas de baguette magique, mes petiots. Elle demanda au garçon si la propriété possédait des communs sur l'arrière. Il fronça les sourcils. Des communs ? Oui, un bâtiment quelconque, une réserve, même une serre où ils pourraient passer la nuit. Il y avait une écurie sans paille et une resserre pleine d'outils pour le jardin. On serait mieux, dit-il, à dormir dehors. Sylvie se mit illico à pleurer : elle avait peur des loups. Quand est-ce qu'on va manger ?

s'inquiéta Philippe, célèbre pour ne jamais rien laisser dans son assiette. Tout de suite, mon Philou, va dire à Maria qu'elle peut servir. Philippe se renfrogna. Tel père, tel fils. Le sens de l'humour n'était pas exigé pour intégrer Polytechnique.

Le garçon s'était éloigné et examinait la façade couverte de vigne vierge de la grande baraque. Un entresol auquel on accédait par un escalier en pierre, deux étages à six fenêtres chacun, une rangée de lucarnes donnant jour à des mansardes. La tourelle imbécile flanquait la bâtisse à gauche. Le garçon s'approcha du tuyau en zinc qui descendait sur l'arête droite de la façade, et le lissa entre ses paumes. Il se retourna vers eux. Il semblait hésiter. Puis, vivement, il se débarrassa de ses chaussures, de ses chaussettes, de sa chemise et de son falzar. Il ne lui restait qu'un slip rouge très inattendu. Était-ce bien un slip d'homme ? Elle n'aurait pu en jurer à cette distance, mais cela ressemblait beaucoup à une culotte de femme dont la brillance suggérait la soie. Voilà autre chose. Déjà, il empoignait le tuyau et grimpait en souplesse. Sylvie battit des mains. Il est fort, apprécia Philippe. Elle le trouvait complètement fou. A supposer qu'il en atteigne une, les fenêtres des deux étages étaient, comme celles de l'entresol, protégées par des persiennes. Il dépassa le premier étage. Un peu plus haut, ses mains glissèrent sur le zinc mais il trouva appui du pied droit sur le boulon d'un collet et reprit son ascension. Elle se leva quand il arriva sous la gouttière. Jean, ne faites pas l'idiot, on ne mourra pas d'une nuit à la belle étoile ! De la main droite, il éprouvait la solidité de la gouttière. Et il se lança, jambes dans le vide, ses deux mains agrippées à la gouttière et les déplaçant l'une après l'autre vers la première lucarne. Le bronzage de ses bras et de sa nuque s'entendait mal avec la pâleur de son dos et de ses jambes. C'était étrange de voir ce corps hybride presque nu se balancer sur la façade d'une maison qui proclamait sa prétention au bon genre, aussi insolite qu'une orchidée piquée sur un gilet de notaire. La nuit n'était pas près de tomber, mais les hautes futaies filtraient la lumière et lui donnait des reflets d'aquarium. Dans cette pénombre moirée, le rouge de la culotte mettait une ponctuation obscène. Comment allait-il s'en sortir ? Elle serrait les mains que Philippe et Sylvie lui avaient spontanément tendues. Il était sous la lucarne. Sous la barre d'appui un entrelacs de fer forgé se terminait par un barreau de même métal. Se hissant de la main gauche, il parvint à placer la main droite sur le barreau. La main gauche suivit. Jambes jointes, il entama alors un mouvement pendulaire. Elle crut que c'était la fatigue, qu'il allait lâcher prise et s'écraser sous leurs yeux. Il s'agissait de prendre de l'élan. Elle le comprit quand il lança ses jambes sur la gauche en même temps qu'il tirait sur ses mains. La voltige, grâce à l'élan acquis, lui permit de caser son corps mince sur la gouttière. Il se redressa d'une torsion de reins, enjamba la

barre d'appui, empoigna un pot de géra-
nium, brisa la vitre de la lucarne, tourna la
poignée et disparut sans paraître entendre
applaudissements et acclamations.

4

Jambon, biscottes et confiture. Les
enfants étaient enchantés : quoi de plus
amusant qu'une dînette ? L'électricité cou-
pée, on s'éclairait à la bougie. Elle en avait
trouvé une botte dans un placard de la cuisine. Le garçon avait dégoté le jambon
pendu, mis à fumer, dans la hotte de la
cheminée. Il savait découper des tranches
aussi fines que celles que lui fournissait
Mondolini, son charcutier de la rue
Mignard. Il l'avait aidée à faire les lits. Ah
ça, pour les lits, un expert. Il en aurait
remontré à Maria. Grande déception,
Maria. Après la rencontre avec Guy de
Laraudie, elle lui avait annoncé qu'ils
allaient quitter Paris comme tout le

monde. Elle comptait demander asile à ses cousins Guérinière qui avaient très joliment restauré leur vieille bicoque de Chambelley. Madame fait ce qu'elle veut, moi, je reste. Ye reste. Son atroce accent espagnol. Elle avait du côté de Montrouge un fiancé, un compatriote, avec qui elle passait son après-midi de repos hebdomadaire. Mais j'ai besoin de vous, Maria, vous ne pouvez pas me laisser tomber avec deux enfants sur les bras, il faut m'aider. Et là, gueule tordue, œil vipérin : Et nous, vous nous avez aidés ? Pour une surprise... La capacité de dissimulation de ces gens-là. Elle aurait juré que Maria était prête à se jeter au feu pour elle. Tu parles. Eh bien, on se passerait de Maria. Bon débarras.

Comme de bien entendu, la maison était aussi tartouillarde à l'intérieur qu'à l'extérieur. A l'entresol, salon carré, salle à manger carrée, salle de billard carrée, cuisine carrée, et la décoration, fallait voir. Il y avait même, trônant sur la cheminée du salon, une couronne de fleurs d'oranger sous verre. Aux murs, les inévitables gravures anglaises de scènes de chasse. Des meubles maousses de style Arts déco retouché à la mode angevine. Pour les étages, l'architecte ne s'était pas davantage cassé la tête : un couloir central gouvernant des chambres distribuées avec une régularité militaire. Ils dormiraient tous au premier étage. Vive inquiétude au moment de coucher Sylvie. Échange de regards entendus avec Philippe, qui se souvenait du week-end à Deauville. On avait oublié la niouniou. Une petite poupée de son devenue informe à force d'être tripotée et qui empestait toutes sortes de choses. Sylvie ne pouvait s'endormir qu'en la tétant. Elle avait pleuré sans interruption la nuit du vendredi, dormi comme un loir la journée du samedi et vociféré de plus belle du samedi soir au dimanche matin. Un cauchemar. Au dodo, poussinette, et toi aussi, Philou. Et n'oubliez pas la prière pour papa. Elle ne leur avait laissé que leur slip. Par cette chaleur. La petite ne bougeait pas. Sa tête des mauvais jours. On allait y avoir droit. L'index de Sylvie pointé sur le garçon : Je veux qu'il dorme avec nous. Ils avaient fait son lit dans la chambre contiguë. Sylvie, je t'ai dit cent fois qu'il ne fallait pas montrer du doigt. Le garçon haussait les épaules, pas contrariant. Elle avait repéré un lit de camp dans une chambre du fond. Va pour le lit de camp. Sylvie ronflotait avant qu'ils aient eu fini de l'installer. Une perle, le garçon, un oiseau rare. Il remplaçait même les niounious. Et dire qu'elle avait eu envie de lui annoncer, à l'entrée de l'allée de hêtres, que leurs routes se séparaient là, merci pour tout et bonne chance. Elle se voyait mal demander l'hospitalité affublée d'un zigoto pareil.

Sa nichée au lit, elle lavait sa culotte dans le lavabo de la salle de bains. Le père de Robert, qui assommait les repas de famille avec ses histoires de guerre que chacun connaissait par cœur, concluait

souvent avec cette phrase : Au feu, l'essen-
tiel, c'est de tenir bien serré le trou de son
cul. Grimace crispée des dames, sourire
complaisant des messieurs. Charles, les
enfants, morigénait la belle-mère. On lui
pardonnait. Lieutenant de réserve, il avait
terminé la guerre avec les galons de colonel, et puis son bras coupé qui le démangeait affreusement aux changements de
saison. Le plus curieux, c'est qu'elle n'avait
rien senti, ni pendant ni après. Toutes ces
heures à mijoter dans son jus sous le soleil
infernal. On avançait à une allure d'escar-
got, avec des arrêts de plus en plus fré-
quents, de sorte que pas un souffle d'air ne
circulait entre les quatre vitres ouvertes.
Elle ne pouvait même pas poser son coude
sur la portière tant la tôle était brûlante.
Les gens disaient que c'était le pont sur la
Loire qui faisait goulet d'étranglement.
Les enfants hébétés de chaleur sur la ban-
quette arrière. Elle ruisselait. Son chemisier et son soutien-gorge trempés révé-
laient les aréoles de ses seins. Un marécage

sous chaque aisselle, un troisième entre les cuisses. Étonnez-vous. Et puis la barbe, à la guerre comme à la guerre. Elle avait retrouvé figure humaine, mais une bougie est toujours flatteuse. Le bouton au coin gauche de ses lèvres était presque sec. Ses cheveux raides de crasse, elle les laverait demain. La flemme. Elle avait l'impression d'avoir minci. Forcément, avec cette suée. Et puis les émotions. Mais elle avait amené ses enfants à bon port. Elle se claqua gaiement les fesses en se disant : Brave fille.

5

Toutes fenêtres ouvertes sur le soleil, la maison avait meilleur air. Ils avaient dormi comme des souches. Reposée et récurée, elle se sentait d'attaque. Les enfants, d'une humeur de rose, couraient d'un étage à l'autre en poussant des cris d'Indiens. Le garçon visitait à pas lents, examinant les laideurs accrochées aux murs avec autant de gravité que s'il était au Louvre.

Bien entendu, sa jupe de toile s'ornait d'une auréole jaunasse. Elle trouva dans une armoire une petite robe en crêpe mousseline qui la serrait un peu aux hanches et s'arrêtait au-dessus du genou, mais dont le bleu pâle s'accordait bien avec son teint mat. Étourdie, elle avait oublié la veille au soir de laver son soutien-gorge. Tant pis, pas de soutien-gorge. La journée s'annonçait encore torride.

Elle fit un tour dans le parc. A la pelouse plantée en façade répondait, sur l'arrière, une pelouse également carrée. Les propriétaires devaient penser que le carré était copurchic. Aucun massif de fleurs. Elle s'attendait à une profusion de dahlias. Elle marcha entre des arbres d'essences diverses qui se mariaient avec les futaies alentour. Austère, sans doute, mais il fallait reconnaître que cette sobriété avait de la gueule. Elle repéra dans un bosquet un portique d'agrès et une balançoire.

Le garçon l'attendait sur le perron. Pour la sobriété, il pouvait repasser. Un wagon-citerne plein d'huile qui, éventré par une bombe, l'avait aspergé alors qu'il courait entre les voies de la gare d'Abbeville. Il avait récupéré des vêtements au petit bonheur la chance dans une maison dont la façade s'était effondrée. Ses bretelles exagéraient. Jean, on va essayer de vous nipper un peu mieux. Les enfants aux anges. Ils écumaient armoires et placards et apportaient leur butin dans leur chambre, promue salon d'essayage. Le garçon endossait sans sourciller les frusques les plus saugrenues. Deux hommes dans la maison, l'un plutôt gros, l'autre plutôt maigre, tous deux de petite stature. Peut-être le père et le fils. Curieusement, la redingote et le pantalon noir à rayures blanches était aux mesures du maigre. L'ensemble décrocha le pompon. Sylvie trépignait pour que le garçon ne le quitte plus. Philippe trouvait aussi qu'il avait là-dedans une gueule terrible. Elle surveillait le garçon du coin de l'œil, prête à calmer l'excitation des enfants et à arrêter le jeu au moindre soupçon de contrariété. Qu'il ne croit surtout pas qu'on le tournait en ridicule. Mais ses grands yeux gris les contemplaient avec une curiosité placide, comme si c'était eux qui faisaient le spectacle et non pas lui. Elle ne l'avait encore jamais vu sourire. En fin de compte, Philippe trouva la solution

dans un cagibi où étaient rangées raquet-
tes, balles et tenues de tennis. Une chemise
Lacoste et un pantalon de lin blanc. Le
garçon avait réellement belle allure. Elle
déplorait ses cheveux tondus qui lui dur-
cissaient le visage. Avec un béret basque,
lui dit-elle, on vous prendrait pour Jean
Borotra adolescent. Il ne savait pas qui
était Borotra. Elle profita de la séance pour
lui refiler un caleçon court et récupérer la
culotte de poule : ça lui ferait toujours un
rechange. Sans façons, le garçon avait
commencé à se déculotter devant elle et
elle dut se retourner vivement pour ména-
ger les convenances. Un gamin, bien sûr,
mais quand même.

A deux heures de l'après-midi, Philippe
commença à bâiller et à se frotter l'estomac. Elle sut que la récréation était termi-
née. Ils avaient échoué dans une maison de
campagne où l'on passait les vacances et
peut-être les week-ends si les propriétaires
avaient leur domicile dans la région. La
couche de poussière sur les meubles indi-

quait que leur dernier séjour ne datait pas d'hier. Le garde-manger de la cuisine était quasiment vide. Un fond de cacao et un reste de café moulu pour le petit déjeuner. On avait liquidé les biscottes. Elle mit le couvert sur la grande table de la cuisine, qui était la pièce la plus sympathique avec ses carreaux rouges cirés et les cuivres des batteries de casseroles accrochées aux murs, et tenta vaillamment de ressusciter l'enthousiasme pour la dînette. Au menu : jambon et confiture. Sylvie repoussa son assiette. Le jambon était trop salé. Même en temps normal, c'était tout un aria pour obtenir qu'elle se nourrisse convenable-ment. Philippe mastiquait avec son sérieux habituel. Quant au garçon, il engloutissait les tranches de jambon avec une voracité à laquelle elle n'avait pas prêté attention la veille, tourneboulée comme elle l'était. On aurait dit un petit animal avide qui craint l'irruption d'un prédateur. Pour la confi-ture, sa bouche à quelques centimètres de l'assiette et hardi petit ! va-et-vient accéléré de la cuiller. Les enfants le regardaient avec étonnement. Elle fit les gros yeux à Sylvie qui s'apprêtait à commenter. Sylvie renonça, mais, ravie de cette innovante manière de se tenir à table, entreprit d'imiter le garçon. Bon, éviter de s'user les nerfs sur des futilités. Ils n'allaient pas planter leurs pénates dans cette maison. Les espadrilles trop grandes qu'elle avait dénichées au fond d'un placard ne seraient pas bien commodes pour marcher, mais elle trouverait certainement une paire de chaussures convenables quelque part.

Elle annonça qu'ils partiraient vers cinq heures, quand le plus gros de la chaleur serait passé. Tête des enfants. On est bien ici. Sylvie, à tout hasard, tentant le coup de pleurer. D'accord, on reste, mais tu mangeras tes trois tranches de jambon ce soir et c'est Jean qui te les enfournera de force si tu fais des simagrées. Les yeux gris pleins de reproches. Tant pis. Diviser pour régner. Les hommes qui se gargarisent de leurs importantes affaires, s'ils savaient ce que c'est de se dépatouiller avec des enfants. Sylvie, butée : Je m'en fiche, je vomirai partout. Tu veux une claque ? Nous, on part. Si tu veux rester toute seule, libre à toi. Vraies larmes, tragédie, je veux voir mon papa. Ma poussinette chérie. Philippe soupirait, elle savait bien pourquoi. Il ne comprenait pas comment une si petite fille se débrouillait pour tenir tant de place.

Les premières explosions retentirent vers quatre heures, pendant qu'ils jouaient au croquet sur la pelouse derrière la maison. Canonnade ou bombardement aérien, elle n'aurait su dire. Ils écoutaient, leur maillet à la main. On dirait des gros pets, fit observer Sylvie. Le premier sourire du garçon. Philippe se tordait de rire. Elle, aucune envie. La Loire devait se trouver à une quinzaine de kilomètres, vingt au plus. Si l'armée en déroute se ressaisissait et refaisait sur la Loire le coup du miracle de la Marne, ils seraient aux premières loges. Racontés par le beau-père les miracles militaires étaient magnifiques, mais de là à les vivre pour de vrai, merci bien. Alors, on joue ? demanda Philippe, qui était en train de gagner. Les enfants avaient trouvé arceaux, maillets et boules dans une pièce de la tour carrée remplie de jouets. Il avait fallu expliquer les règles au garçon. Il jouait bien, avec des gestes précis. Puis il s'était mis à commettre des erreurs et Philippe avait pris la tête. Elle était sûre que le garçon le faisait exprès. Gentil ou lèche-cul ?

A cinq heures, les gros pets continuaient de détoner dans le lointain. On reste, décida-t-elle. Les enfants applaudirent. Le garçon avait l'air content. Rabat-joie, elle évoqua le menu du dîner. Je pourrais sortir faire un tour, proposa le garçon, essayer de trouver quelque chose à manger. Pourquoi pas ? Ces pauvres gens des masures en torchis avaient peut-être laissé de la nourriture derrière eux. Je vais avec lui, annonça Philippe. Il ne demandait pas la permission, il décidait. Son gosselet de

Philou. Elle s'apprêtait à le rembarrer quand quelque chose dans son regard l'avertit qu'il ne fallait pas. Elle se demanda ce qu'aurait fait Robert. Si tu veux, mais promettez-moi d'être très prudents. Ils promirent. C'était de l'artillerie, un bombardement aérien n'aurait pas duré aussi longtemps. Vous ne dépassez en aucun cas les petites maisons, vous savez, juste après la cabane de la vieille qui a perdu la tête. Sylvie, sentencieuse : Elle n'a pas perdu la tête, c'est la dame dans le fossé qui a perdu la tête, et avant elle avait aussi perdu son sac. Quant à savoir comment la petite se débrouillerait avec tout ça, plus tard, c'était une autre histoire.

6

Le propriétaire s'appelait Marc Delassus. L'inévitable paperasserie : feuilles d'impôts locaux, notes d'eau et d'électricité, factures de fournisseurs. Une copieuse et coriace correspondance avec le maire à propos d'un droit de passage au fond du parc que Delassus contestait. Cela ne valait pas la peine de fracturer le secrétaire. Un secrétaire dos d'âne placé entre les deux fenêtres de sa chambre. Enfin, de la chambre de Delassus. Les enfants avaient refourré en vrac dans l'armoire les vêtements essayés par le garçon. Elle les suspendit aux cintres. Au total, trois vestes et deux pantalons. Vêtements de ville. Dans les tiroirs de l'armoire, un caleçon long, deux caleçons courts et trois paires de chaussettes fines. Delassus ne devait pas arpenter souvent les bois. Aucun signe de l'existence d'une madame Delassus. Aux murs, des photos comme on en faisait jadis, très artistiques, très retouchées, représentant des hommes satisfaits d'exister, les moustaches en guidon de vélo et la bedaine barrée par la chaîne en or de leur montre-gousset. Les aïeux Delassus ? La paperasserie administrative et la correspondance avec le maire ne remontaient pas au-delà de 1937. La dernière facture acquittée était datée du mois d'avril.

Elle avait été remuée à dix ans par l'illustration de couverture d'un roman que lisait sa mère. Sur une houle de toits parisiens éclairés par une lune laiteuse, un Fantômas hors de proportions soulevait un toit comme un enfant soulève une pierre pour découvrir le grouillement des bestioles. A quoi bon partir explorer des contrées lointaines, telle Laure de Martignac, l'héroïne de *La Semaine de Suzette*, alors que chaque immeuble de la place Saint-Sulpice recelait autant de mystères qu'une tribu amazonienne ? Longtemps, elle rêva d'être détective. Découvrir les secrets des gens. Pas pour leur nuire, simplement pour connaître leur vérité vraie. Quitte à fracturer un secrétaire. Pendant leur voyage de noces à Venise, elle s'était ouverte à Robert de cette inclination, mais elle avait compris, à son regard ahuri, qu'il valait mieux classer le sujet.

Sylvie s'était endormie sur le canapé du salon, les affreuses bretelles violettes du garçon enroulées autour de son poignet droit.

La chambre qu'elle présumait être celle du fils livra un butin encore plus maigre. Quelques vêtements dans une penderie, un point c'est tout. La redingote et le pantalon rayé étaient quand même insolites. S'habillait-on encore avec ces choses pour le bal annuel de la sous-préfecture ? Quant à la chambre du fond où elle avait trouvé la petite robe en crêpe mousseline, elle savait déjà qu'elle ne contenait aucun autre objet personnel.

Elle errait dans la maison, en proie à un malaise grandissant. Le deuxième étage était strictement vide. La tour carrée aussi, à part la pièce où les enfants avaient trouvé le jeu de croquet. A quoi rimaient tous ces jouets ? Peut-être avaient-ils été abandonnés par de précédents occupants. Pas une seule brosse à dents dans les deux salles de bains. Ni pyjama ni chemise de nuit dans les chambres. En bas, au salon, aucun livre posé sur le cosy-corner, aucun vieux journal abandonné sur un fauteuil. Sylvie tétait avec application un bout de bretelle. La nouvelle niouniou. Et toutes ces pièces implacablement carrées. Mais de cela Delassus n'était pas responsable. Il s'était contenté de s'installer dans cette folie géométrique, ou plutôt d'y camper. Refuge bienvenu la veille, la maison l'accablait aujourd'hui de son indifférence hostile. Elle pensa qu'elle était maléfique et qu'elle leur porterait malheur. Elle serait châtiée de sa curiosité comme ces archéologues qui avaient troublé le sommeil des momies égyptiennes et qui décédaient les uns après les autres. Un décor vide, une maison morte où l'on ne faisait que passer sans laisser de traces, comme eux-mêmes la quitteraient à jamais dès le lendemain en y abandonnant pour seul signe de leur intrusion les vieilles nippes du garçon.

Pourquoi Marc Delassus se battait-il avec une pugnacité de dogue à propos d'un droit de passage sur une propriété qui lui tenait visiblement si peu à cœur ?

Elle se secoua. Pas le moment de s'abandonner au spleen. Le contrecoup, sûrement, des fortes émotions de la veille. Ce n'est pourtant qu'au retour de Philippe et du garçon que ses idées noires la quittèrent. A son soulagement en les voyant arriver dans l'allée de hêtres, elle comprit qu'elle s'était fait un sang d'encre pour son fils. Robert n'aurait pas pardonné s'il lui était arrivé quelque chose. Il n'a qu'à être là, Robert. Sans pouvoir s'expliquer pourquoi, elle avait su qu'elle ne devait pas empêcher Philippe d'aller avec le garçon. Lui non plus n'aurait pas pardonné.

Le panier de Philippe contenait des cerises mûres à point. Le garçon tenait d'une main un baluchon rempli de pommes de terre qu'ils avaient déterrées dans un champ, au moins cinq kilos, de l'autre un petit sac en toile où voisinaient un paquet entamé de café, un pot de moutarde à moitié vide, un autre de cornichons, une tranche de gruyère verdâtre et des morceaux de sucre en vrac. Le garçon avait forcé le volet d'une petite maison avec une barre de fer. Dans le garde-manger, tout était déjà moisi. Ils auraient bien visité une autre maison, mais la vieille folle les avait suivis et leur lançait des pierres en criant des injures. C'était certainement elle qui ramassait les œufs dans les poulaillers : ils n'en avaient pas trouvé. Ils n'avaient rencontré personne d'autre. La campagne était aussi vide que la veille. Philippe furetait dans la cuisine. Que cherches-tu ? Un broc pour mettre le lait. Du lait ? Où ça ? Il n'a pas tourné ? Philippe, très robertien : Le lait ne tourne pas quand il est dans les vaches. Et, pivotant vers le garçon avec le regard du disciple pour le maître : Il sait traire. Il y a des vaches à Boulogne-sur-Mer ? A côté, répondit le garçon.

Elle les regarda galoper dans l'allée, puis commença à éplucher les patates.

7

Réveillée tôt, elle se doucha dans la bai-
gnoire, frissonnant et gigotant sous le jet
d'eau glaciale. Si seulement on pouvait
faire provision de froid pour la journée. Ses
seins ballottaient un peu, mais beaucoup
de ses amies plus jeunes auraient volontiers
accepté l'échange. Les fesses tenaient bon.
Sur ses jambes, rien à redire. Ses jambes
avaient toujours été son atout maître. Le
reste, elle n'aimait pas trop. Ses cheveux
surtout la désolaient. Une tignasse brune.
Maria lui avait dit en l'aidant à passer sa
robe grenat à volants qu'elle avait l'air
d'une Andalouse. Elle se serait préférée
blonde éthérée à la Jean Harlow ou
romantique comme la Morgan. C'était

triste de savoir que jamais un homme ne la trouverait romantique. Malgré tout, à bientôt trente-deux ans, elle n'avait pas à se plaindre.

Elle se frotta vigoureusement les dents avec son index. Acheter trois brosses dès que possible. Elle eut une bouffée de nostalgie pour son ensemble blanc cassé qu'elle avait fourré au dernier moment dans sa valise. Elle se vit soudain dans la glace des yeux écarquillés et la bouche grande ouverte, et réalisa ensuite la brutale évidence : son sac à main avait brûlé avec le reste, elle n'avait plus un sou. Le souffle coupé. Bah, les Guérinière la dépanneraient. A condition d'arriver à Chambelley et que leur si joli manoir soit encore debout. Raison de plus pour ne pas s'incruster dans cette sinistre baraque.

Elle enfila la culotte de poule en se souriant dans la glace. Avec tout ce qui lui tombait sur la tête, elle avait bien droit à un brin de fantaisie. Pas tant le rouge étonnamment vulgaire et la découpe qui lui laissait le bas des fesses à l'air, mais elle ne l'avait pas lavée depuis que le garçon l'avait ôtée. Elle la serrait un peu à l'entre-jambe. Ce serait incommode pour marcher. Elle décida de la garder jusqu'au moment du départ.

Dans la cuisine, après avoir avalé un mauvais café, elle prit dans un placard le bocal rempli d'élastiques. Avec trois gros élastiques passés à chaque pied, les espadrilles tenaient beaucoup mieux. Elle achèterait un pansement adhésif pour ses ampoules dès qu'ils trouveraient une pharmacie. Acheter avec quoi ? On lui en ferait cadeau. Une femme seule perdue avec deux petits enfants dans cette invraisemblable pagaïe. Elle remercierait beaucoup le garçon. Elle lui dirait qu'il avait été parfait. Elle se souviendrait toujours de ses acrobaties pour arriver à la lucarne. Et les enfants aussi, n'est-ce pas ? On n'allait tout de même pas passer la vie ensemble.

Un bruit sourd lui fit lever la tête. Cela venait de la route. Le grondement d'un moteur. L'allée de hêtres, légèrement courbe, ne permettait pas d'avoir vue sur la route. Le bruit grossissait, devenait fracas. Plusieurs moteurs lancés à fond. Avec, à l'intérieur de ce vacarme, un cliquetis régulier qui lui rappelait quelque chose. Le défilé du 14 juillet 1939 sur les Champs-Élysées. Elle y avait emmené les enfants. Le plus formidable défilé jamais vu, annonçaient les journaux. De quoi donner à réfléchir à ceux qui seraient assez fous pour envisager une nouvelle guerre contre la France. Les chars Renault assourdissants et leurs chenilles qui cliquetaient sur le macadam comme des castagnettes.

Elle attendit le retour du silence pour sortir. Un lapin au derrière blanc détala sous son nez, tourna deux fois sur lui-même, telle une toupie, et fila vers le couvert des arbres. Une odeur d'essence imprégnait l'air. La route était vide. Des tanks, sans aucun doute. Leurs chenilles avaient griffé le bitume. Français ou allemands ? C'était mauvais dans les deux cas.

Elle n'allait pas se jeter sur les chemins avec les enfants au risque de se retrouver en face d'un char d'assaut. Le découragement la submergea. Ils étaient coincés dans cette maison comme des mouches dans une toile d'araignée. Elle en voulait presque au garçon. S'il n'avait pas tenu à leur démontrer ses talents d'acrobate, ils auraient continué et trouvé meilleur asile.

Elle laissa Philippe et Sylvie terminer leur deuxième bol de lait, entraîna le garçon dehors et lui expliqua la situation. On ne pouvait pas rester les deux pieds dans le même sabot. Ils n'avaient quand même pas échoué sur une île déserte. Il y avait du monde autour. Le garçon écoutait, attentif, en hochant la tête. Elle aimait bien ses yeux gris. Il pigeait vite. D'accord, il allait essayer de voir ce qu'il se passait. Soyez prudent. Son visage lisse n'exprimait aucune appréhension.

Philippe, comme de bien entendu : Je vais avec lui. Écoute-moi, Philippe. A ta place, je dirais pareil. Je te demande de te mettre à la place de ta maman. Rester seule avec Sylvie, ça ne m'amuse pas du tout. Je me sentirais beaucoup plus rassurée si tu étais avec nous. Je sais que je pourrais compter sur toi s'il arrivait quoi que ce soit. Philippe se rengorgeait. Petits ou grands, les hommes, comme c'est simple. Il regarda malgré tout le garçon. C'est mieux, dit le garçon.

8

Clip-clop, clip-clop, clip-clop.

Elle poussait Sylvie sur la balançoire pendant que Philippe s'exerçait aux anneaux du portique. Le garçon était parti depuis plus de deux heures. Clip-clop, clip-clop. Un petit trot tranquille. Doux souvenirs du manège de la porte d'Auteuil où elle montait Ariane le mardi et le vendredi. Maurice, l'écuyer, lui faisait une cour discrète. La randonnée équestre dans les Cévennes. Elle eut absurdement envie de pleurer.

Philippe lâcha les anneaux et courut vers le devant de la maison. Sylvie se jeta de la balançoire, tomba sur le dos, mais se releva sans une plainte et tricota des jambes pour rejoindre son frère. Quatre heures et demie. D'épais nuages noirs grignotaient le bleu du ciel. Une touffeur lourde et moite s'installait, plus désagréable encore que la canicule sèche des jours précédents. Elle n'avait lâché le garçon qu'après le déjeuner, qu'il parte au moins l'estomac plein. La route était restée silencieuse toute la matinée. Même dégourdi comme pas deux, elle ne l'aurait pas expédié au milieu d'un charivari de tanks.

Des soldats français ! Des soldats français ! Philippe trépignait d'excitation.

Elle fit le tour de la maison. Un gros dada pommelé, trop ensellé, l'œil terne, attelé à un caisson long et étroit. Un géant attachait les rênes à la rampe de l'escalier. Son énorme torse tendait à la limite de la déchirure le tricot de peau crasseux qui le moulait. S'il ne faisait pas ses deux mètres, il n'en était pas loin. Une montagne d'homme. Son camarade, pourtant de stature normale, en paraissait gringalet. Le géant n'avait de militaire que son pantalon kaki et ses bandes molletières. L'autre, sans chemise, portait une vareuse d'uniforme déboutonnée, un pantalon kaki et des mocassins qu'il n'avait certainement pas touchés avec son paquetage réglementaire. Philippe et Sylvie les regardaient comme s'ils émergeaient tout fumants des fureurs de la bataille.

Bonjour, bonjour. On voudrait juste casser une petite graine, la dame ne refusera pas un morceau de pain et une soupe à deux troufions qui en ont vu des vertes et des pas mûres. Et un coup à boire ne serait pas de refus. Quelle chaleur, hein ? Sûr qu'il y a un orage qui chauffe. Vous avez deux beaux enfants, comment vous vous appelez, les mioches ? C'était l'homme aux mocassins qui tenait le crachoir. Il portait une chevalière au petit doigt de la main gauche. Une médaille accrochée à une chaîne en or, ou simili, ballottait sur sa poitrine glabre. Ses cheveux blonds luisaient de gomina. Il se pencha sur Sylvie, l'empoigna, la hissa, l'embrassa sur les deux joues et la reposa à terre en lui tapotant le derrière, ce que la petite détestait mais n'osa pas manifester. Vous êtes artilleurs ? demanda Philippe en tendant une main virile. Tringlots, répondit le géant d'une voix curieusement aiguë. Tringlots, commenta le gominé, ça veut dire... Je sais, coupa-t-elle assez sèchement. Soldats du train des équipages. Mon mari est lieutenant au 29e d'artillerie. Elle n'était pas mécontente d'avoir réussi à le placer. Marquer d'entrée de jeu ses distances.

Elle les précéda dans la cuisine en leur expliquant la situation. Le géant avait l'air d'un gosse injustement privé de goûter. Ça, s'ils s'attendaient à bambocher... Alors vous vivez toute seule ici, dit le gominé. Pas toute seule : avec mes enfants. Il lui faisait mauvaise impression. L'autre, une brave brute stupide. Lui, le genre à la coule, un bagout cordial mais les yeux fureteurs, un vague accent parigot. Sa peau d'un blême malsain évoquait un légume privé de lumière.

Elle leur fit chauffer des pommes de terre à l'eau. La bouteille de gaz tirait à sa fin. Elle coupa aussi des tranches de jambon. Le gominé, désinvolte, passa dans la salle à manger, puis dans le salon. Après tout, elle n'était pas chez elle. Le géant ne la quittait pas des yeux. Un regard aussi lourd que le reste de son énorme personne. C'était gênant. Elle maudissait sa robe trop juste en largeur comme en longueur. A cause de ce butor, elle avait l'impression de se résumer à une triple paire de seins, de cuisses et de fesses. Elle lui demanda où en était la situation militaire, l'avance des Allemands, tout ça. Il leva sa main droite et la laissa retomber sur la table : C'est pas joli-joli. Il n'avait pas envie de parler, il ne voulait que la regarder de ses gros yeux abrutis. Pour faire diversion, elle ordonna aux enfants de mettre le couvert. Le gominé revint tandis qu'ils disposaient les assiettes. Ah non, on n'est pas des larbins, pourquoi qu'on n'aurait pas droit à la salle à manger ? Son ton soudain hargneux. Elle quêta le soutien du géant, qui lui décocha un clin d'œil élé-phantesque, l'air de dire : Qu'est-ce qu'il ne va pas inventer ! Nous, on mange bien à la cuisine, fit observer Philippe. C'est normal, t'es qu'un môme. Il n'allait pas se faire aimer. Et le pinard, rouspéta le gominé, où il est le pinard ? Elle expliqua que la porte de la cave était fermée et qu'elle n'avait même pas pensé à chercher la clé. A son avis, il n'y avait pas plus de vin à la cave qu'ils n'avaient trouvé de provisions dans les placards. On trouve toujours du vin chez les bourgeois, trancha le gominé, et pour les portes, j'en connais pas beaucoup qui font des misères à Gustave. Debout, Tatave ! L'autre se leva pesamment, comme à regret.

Quand ils furent sortis, Philippe demanda d'une petite voix : Ils sont gen-tils, hein, maman ? Bien sûr, mon chéri. Moi, je trouve pas, dit Sylvie. D'abord, ils sentent mauvais.

Le gominé avait raison : ils remontèrent avec deux bouteilles de chablis et deux autres de bordeaux.

9

Ma fille, tu vas passer à la casserole, se disait-elle bravement. C'était une expression de Mado, la dégourdie et rigolote Mado. Le dimanche matin, en tablier de soubrette, elle portait le plateau du petit déjeuner à Roland, qui aimait faire la grasse matinée. La bonne avait congé le dimanche. Quand Roland avait bu son café et avalé ses tartines beurrées, hop ! elle passait à la casserole. Mado riait : ce n'est pas Attila, l'herbe repousse après son passage. Elles s'étaient connues à Saint-Dominique, toutes leurs études ensemble jusqu'au bac, raté ensemble. Roland était fondé de pouvoir à la banque Mallet et classé négatif au tennis.

Inutile de se raconter des histoires : elle était terrorisée. L'épouvante lui tordait le ventre. Elle avait peur pour elle, pour les enfants. Sylvie, candide, ne se privait pas d'afficher sa répulsion. Philippe sentait mieux les choses. Il avait tenté d'amadouer les intrus : Vous avez tué beaucoup d'Allemands ? Je veux, petite tête, de quoi remplir un cimetière. Le rire haut perché de l'autre. Et puis une longue diatribe du gominé contre les galonnards qui se taillaient en bagnole avec leur poule et la caisse du régiment, les enculés de gonfleurs d'hélice qui n'en avaient rien à branler des stukas, et les artilleurs, hein ? on les a vus, les artilleurs ? Pas la queue d'un, pas vrai, Tatave ? Gustave se grattait le crâne en hochant la tête. Des plaques de pelade apparaissaient entre les touffes clairsemées de ses cheveux rouquins. Et il puait des pieds que c'en était une infection. Il s'était carrément déchaussé. La putain d'armée lui refilait des godasses trop petites et ses arpions gonflaient rapport à la chaleur.

Elle avait envie de vomir rien qu'à imaginer ses grosses pattes crasseuses sur elle.

Elle avait espéré que le vin les tasserait. Le chablis sifflé à une vitesse éberluante et la deuxième bouteille de bordeaux bientôt à sec. Robert serait tombé de sa chaise. Pas eux. Il faut dire qu'ils bâfraient comme des porcs. Le vin allumait même une étincelle de vivacité dans les yeux stagnants du géant. Il fixait maintenant le gominé comme un chien qui quémande un sucre à son maître. Les chiards, ils vont rester longtemps à nous casser les pieds ? demanda le gominé. Les chiards ? Ah ! les enfants… L'occasion tant espérée. Laissez-nous, mes chéris, maman doit parler avec ces messieurs, allez vous promener sur la route… Le gominé : Pas question. Vous montez dans votre chambre et vous restez peinards, compris ? Gare à vos fesses si je ne vous y trouve pas tout à l'heure. Son instinct ne l'avait pas trompée : il était le plus dangereux. Son sourire tordu pour lui susurrer : La route, vous n'y pensez pas, ils risqueraient de faire une mauvaise rencontre. Sylvie s'était déjà éclipsée, trop contente d'échapper à la puanteur. Philippe attendait, malheureux. Son fils. Son petit garçon. Va, mon Philippe, dit-elle sans réussir à maîtriser le tremblement de sa voix. Son dernier regard lui serra le cœur. Elle les entendit monter l'escalier.

Pendant quelques secondes, personne ne bougea. Elle s'efforçait de ne pas les dévisager. La laide salle à manger, les gravures anglaises, une lézarde dans le plâtre du plafond. Ils s'étaient englués dans la maison maléfique et deux araignées répugnantes les tenaient entre leurs pattes.

On aurait dit un exercice parfaitement rodé. Le gominé se leva et tira d'un coup sec sur la nappe, envoyant valser sur le parquet couverts, bouteilles vides, os du jambon et plat de pommes de terre. Pendant ce temps, le géant la prenait par la taille, la soulevait comme une plume et la plaquait sur le plateau de la table. Sa tête heurta le

bois si violemment qu'elle en vit trente-six
chandelles. Le gominé lui saisit les bras et
les ramena derrière elle. Le géant tirait en
sens contraire sur ses jambes pour amener
ses fesses juste au bord de la table. Avec les
enfants à l'écart, la haine l'emportait en
elle sur le dégoût et la peur. Le géant se
pencha, prit à deux mains sa robe et fit
sauter tous les boutons d'une simple
traction. Elle se débattait à peine. Elle en
veut, Tatave, rigola le gominé, je te parie
qu'elle mouille comme une vache. Il lâcha
son poignet droit et arracha lui-même le
soutien-gorge. Elle lança sa main en l'air,
cherchant son œil. Elle ne lui griffa que le
nez. Il la gifla et ressaisit fermement son
poignet. Le géant s'était installé entre ses
jambes. Il lissait lentement la culotte de
soie, puis tâtait le tissu, tel un chaland dans
une boutique de lingerie. Elle remonta les
genoux, comme si elle s'offrait, ce qui
amena un petit sourire fat sur son visage
fessu. Quand il commença à faire descen-
dre la culotte sur ses hanches, elle lança sa

jambe droite avec toute la violence dont elle était capable. Sanglot de déception. Raté. Elle l'avait touché à l'aine et non entre les jambes. Le sourire du saligaud s'élargit. Une attraction supplémentaire ajoutée au spectacle. Il n'avait même pas vacillé. Le gominé se pencha et lui glissa à l'oreille d'une voix mielleuse : Tu préfères qu'on s'amuse avec la petite ? Elle le savait, elle l'avait compris depuis longtemps. Ses yeux sales traînant sur Sylvie comme des limaces. Quand ils en auraient fini avec elle, ils monteraient dans la chambre des enfants pour le dessert.

Elle se noyait. Elle tombait dans un trou noir où elle retrouvait intactes les images gommées au fil des années à force d'obstination, la première fois où son père l'avait fait s'agenouiller entre ses jambes, elle n'avait pas douze ans, pendant que sa mère cuvait son porto au salon, ensuite il lui avait acheté une bicyclette, et c'était devenu une habitude au même titre que le baiser du soir sur le front et l'inspection bihebdomadaire des oreilles et des ongles, il disait : Eh bien, fillette ? de sa voix de bronze qui dominait les audiences de sa cour d'appel, il le disait avec une nuance de reproche, elle se sentait en faute, comme une prévenue dans le box, il fallait sans cesse la rappeler à son devoir, elle s'age-nouillait aussitôt, un soir elle avait entendu le pas titubant de sa mère dans le couloir, elle avait voulu se relever, mais son père, ses deux mains sèches plaquées sur ses tempes, l'avait forcée à continuer, la porte s'était ouverte et refermée, et autour d'eux les connaissances, les amis, la famille, per-sonne ne se doutait de rien, elle n'en reve-nait pas, on plaisantait simplement sur la petite tendance de sa mère à lever le coude, rien de grave, et elle, l'agenouillée, on la donnait en exemple à Saint-Dominique, la mère de Mado n'arrêtait pas de répéter à la sienne : Ah ! votre Flo a une bonne influence sur ma folle de Mado, j'espère qu'elle réussira à lui mettre un peu de plomb dans la tête, et cela jusqu'au jour, elle allait prendre ses seize ans, où ses parents s'embarquèrent à Saint-Malo sur le yacht des Vallet pour une virée à Guernesey alors que les vieux marins crachaient dans l'eau du port en annonçant un coup de tabac.

La porte de la salle à manger s'ouvrit. C'était le garçon.

10

Partez, Jean ! Emmenez les enfants ! Le géant haussa les sourcils en entendant son hurlement, puis pivota lentement vers la porte. Qui c'est celui-là ? demanda le gominé d'une voix tendue. C'est rien, cria-t-elle, il va s'en aller ! Mais le petit couillon restait planté sur le seuil, le visage aussi hermétique que d'habitude, ses yeux gris fixés sur la culotte que le rouquin puant était en train de faire glisser sur ses chevilles, à croire que la seule chose qui l'étonnait, c'était de découvrir qu'elle la lui avait piquée. Fous le camp ! Emmène les petits ! Elle en aurait pleuré de rage. La dernière chance. Le front du garçon se plissa. Il avait enfin compris. Il disparut. Taille-toi, petit con, lança le gominé, et laisse les mômes tranquilles, pigé ? sinon t'auras affaire à nous. Elle ferma les yeux. Elle avait confiance. Il avait toujours fait ce qu'elle lui demandait. Puis elle entendit le gominé murmurer : Je la tiens, Gustave, écrase-lui la tête à ce merdeux. Elle rouvrit les yeux. Le garçon entrait dans la pièce, un couteau de cuisine à la main. Elle gémit. C'était foutu.

Le géant empoigna une chaise par les pieds et l'abattit sur le rebord de la table. Les montants du dossier se brisèrent comme des allumettes. Il s'appuya des fesses contre le bout de la table. Elle ne voyait plus que ses épaules massives et son dos. Il balançait de droite à gauche la chaise réduite à un tabouret, prêt à frapper.

Profiter de la diversion pour tenter de s'échapper. Le temps qu'ils massacrent le garçon, elle rejoindrait les enfants, s'enfermerait dans leur chambre, sauterait par la fenêtre avec Sylvie dans ses bras plutôt que de la laisser vivre l'horreur. Le gominé l'avait tirée vers lui. Les jambes libres, elle tenta de se libérer de son emprise par une torsion de tout le corps. Il l'empoigna aux cheveux de la main gauche et plaqua son avant-bras droit en travers de sa gorge. Suffoquée, elle cessa de lutter. Il relâcha la pression.

Le garçon bougeait. Ses pieds ne faisaient qu'effleurer le parquet. On aurait dit qu'il dansait sur une musique lente qu'il était le seul à entendre. Son corps ondulait comme un drapeau pris dans une brise légère et son bras droit tendu en avant, d'une rigidité absolue, était comme la hampe du drapeau. Il tenait le couteau avec le côté tranchant vers le haut. Fixe aussi, son regard planté dans celui du géant. Seul un léger retroussis de la lèvre supérieure dérangeait l'impassibilité de ses traits. Crève-la, cette petite mouche à merde, dit le gominé. L'irruption inattendue du garçon l'avait un instant décontenancé, mais sa voix était à présent tout à fait tranquille. Les muscles de Gustave lui faisaient des bras plus épais que la tête du garçon.

La main armée du couteau montait centimètre par centimètre en direction de la gorge du géant. Soudain tout alla si vite qu'elle en perdit le fil. Le garçon avait plongé dans une détente foudroyante sur les chevilles du géant. Elle ne le voyait plus. Elle entendit le fracas de la chaise sur le sol. Et puis le garçon réapparut, catapulté vers le mur du fond par un coup de pied de l'autre. Sa tête cogna dur sur la cloison. Un instant, son regard devint flou. Il se jeta avec une souplesse de chat sur le couteau qui lui avait échappé au moment du choc. Adossé au mur, à croupetons, le bras droit de nouveau tendu en avant, il tentait de retrouver son souffle. La lame du couteau était rouge. Le géant murmurait des choses confuses, puis, au fur et à mesure qu'il s'affaissait sur lui-même, sa diction devint compréhensible : Il m'a coupé le talon d'Achille, il m'a coupé le talon d'Achille.

Le gominé la lâcha. C'était bon de voir la peur habiter son regard. Sa bouche tremblotait. Il se pencha et prit par le goulot une bouteille de chablis brisée. A pas précautionneux, il rejoignit le géant sans quitter des yeux le garçon. Lève-toi, gros, faut pas rester comme ça. Je peux pas, ma jambe, il m'a coupé. Sa voix dérapait dans le suraigu. Le gominé se baissa. Mets ta main sur mon épaule. Le blessé se redressa en gémissant. Allez, on décarre. Je peux pas. Merde, fais-le à cloche-pied. Le garçon était toujours à croupetons. L'un soutenant l'autre, ils avancèrent cahin-caha vers la porte de la salle à manger. Le tendon coupé formait une petite boule sur le mollet droit.

Assise sur la table, elle s'essuyait le visage. Elle ne s'était pas rendu compte qu'elle était en eau. Le garçon regardait la porte que le gominé avait claquée en sortant.

Clip-clop, clip-clop, clip-clop.

Les enfants les trouvèrent debout, vacillants, enlacés dans une étreinte de noyés. Elle pleurait toutes les larmes de son corps.

11

L'orage fut bienvenu. Un déluge qui nettoyait cette saleté. Les rafales de vent courbaient la cime des arbres. La foudre tomba sur un chêne, terrorisant Sylvie. Ce fut aussi un bon prétexte pour fermer toutes les persiennes. Ils avaient décidé de ne rien dire aux petits. D'abord émue de la voir pleurer, Sylvie s'était vite reprise : T'es quand même pas triste qu'ils soient partis ? Bon débarras ! Philippe, c'était une autre paire de manches. Sans doute se demandait-il s'il avait été à la hauteur. Il était si fiérot qu'elle l'institue son protecteur. Elle se borna à raconter que les deux types s'étaient fâchés sous prétexte qu'il n'y avait pas de pain. De fait, le géant avait quémandé de sa voix de fillette : Vous aurez pourtant bien un quignon de pain ? Non, pas une miette. C'est ce qui leur manquait le plus, le pain. Même Sylvie en réclamait. Bref, ils s'étaient mis en pétard et, de rage, ils avaient tiré sur la nappe et tout cassé. Des mal élevés. Le garçon balaya les débris épars et fourra le tout dans la poubelle. C'est du sang ! s'exclama Philippe en découvrant la flaque grande comme trois pièces de cent sous. Mais non, mon Philou, c'est du vin, la lie du fond de la bouteille. Elle alla chercher la serpillière sous l'évier de la cuisine et nettoya rapidement. Il avait la mine dubitative et jetait des regards interrogateurs au garçon. Le garçon, parfait, répondait par des sourires apaisants.

Elle se sentit plus tranquille lorsque les persiennes furent fermées et les portes, verrouillées. Personne ne pourrait imaginer que la maison était habitée. Et pour y entrer, macache. Le garçon avait croisé des groupes de soldats dépenaillés et sans armes, des civils aux allures louches. Il avait aussi entendu des tirs nourris. Enfin, il le disait avec son vocabulaire. Ça pétait sec. Les mecs, ils avaient pas l'air de vrais troufions, d'abord ils avaient même pas de flingue, plutôt comme les deux pantins qui vous ont embêtée. Le premier jour, sur la route, il lui avait dit qu'il était apprenti. En maçonnerie ou en menuiserie ? Elle ne s'en souvenait plus.

Le dîner acheva de dissiper le vague à l'âme de Philippe. Car la grande nouvelle, la formidable nouvelle, c'était que le garçon avait trouvé de la nourriture. Une épicerie dans un petit bourg. L'épicier avait baissé son rideau de fer avant de se carapater comme tout le monde. L'as de l'escalade s'était introduit par un œil-de-bœuf. A l'intérieur, la caverne d'Ali Baba. Des boîtes de sardines, de pâté, de corned-beef, des paquets de nouilles et de riz, du saucisson en veux-tu en voilà, du bleu d'Auvergne, de la margarine, un bocal de fruits confits, du chocolat. A défaut de pain, trois paquets de biscottes. Les enfants radieux quand il extirpa du sac à dos où il avait entassé son butin deux grosses poches en papier remplies de bonbons.

L'ordre et la discipline n'étaient pas au menu. On avait bien mérité une récréation. Elle laissa les enfants manger à leur guise. Deux sardines à l'huile par-ci, trois tranches de saucisson par-là, une lichette de pâté, une bouchée de corned-beef. Les nouilles, dont elle avait préparé une grosse platée, eurent peu de succès. Embargo quand même sur les bonbons jusqu'à la fin du dîner. Et puis, ma foi, puisqu'il y avait du vin à la cave, elle décida d'en boire une larmichette. Un bordeaux. Elle interrogea le garçon du regard. Il tendit son verre sans hésiter. A l'inspiration, elle en versa un peu dans le verre de Philippe. C'était la première fois qu'il buvait du vin. Il rayonnait de fierté en le portant à ses lèvres. Elle avait fait mouche.

En revanche, ce fut plus fort qu'elle, elle ne put se retenir de dire au garçon : Jean, donne-toi donc le temps de mâcher. Tu vas t'esquinter l'estomac à manger si vite. Le pli était pris de le tutoyer. Sylvie, toujours là pour le commentaire superflu : En plus, c'est malpoli. Le garçon rosit, désemparé. Elle se serait battue. Après, la surveillant du coin de l'œil, il s'appliqua à suivre exactement le rythme de sa fourchette.

La table desservie, on fit une partie de petits chevaux. Les enfants avaient trouvé le jeu dans la salle de la tour carrée. Les trois bougies diffusaient une lumière intime et chaleureuse. Ils étaient seuls au monde, bien à l'abri dans leur cocon. Tout en lançant les dés, elle regardait ses enfants. Elle ne les avait jamais autant aimés. Avec Robert assis entre eux, le bonheur eût été complet. Pincement d'anxiété au cœur. Une seule certitude : il se battait. C'était de famille. Ses beaux-parents étaient passés la voir au tout début de juin. Le beau-père, si bavard, ne desserrait plus les dents. Il avait vieilli de dix ans. Son expression oscillait entre le mépris et la honte. Aux adieux, en l'embrassant, elle l'exhorta à garder espoir. Grognement. Vous verrez, ma petite Flo, ils foutront le camp la chiasse au cul jusqu'aux Pyrénées. Et cette dernière phrase dont elle lui en voulait encore : C'est quand ça panique de tous les côtés que les courageux se font tuer.

Sylvie bâillait à s'en décrocher la mâchoire, mais refusait de monter se coucher avant d'avoir gagné une partie. Avec les dés, difficile de truquer. Philippe bénéficiait d'une chance insolente. Par bonheur, la petite piqua du nez pour un roupillon de quelques secondes. Elle modifia prestement l'ordre des chevaux, un doigt sur les lèvres pour intimer silence à Philippe. Réveillée, Sylvie ne remarqua rien et gagna haut la main. On la félicita. Et maintenant, ouste ! au dodo. Le garçon ne bougea pas. Elle accompagna ses chéris dans leur chambre, déshabilla Sylvie, récita avec eux la prière pour papa et redescendit. Tu n'as pas sommeil, Jean ? Il secoua la tête. Elle se servit encore un verre de vin. Viens, on sera mieux assis dans le salon.

12

Elle avait été moche ces jours derniers avec Robert, toujours à lui faire des reproches dans sa tête. Son inébranlable sérieux et ce qu'on pouvait appeler un certain manque d'humour. Mais un homme intelligent, réfléchi, respecté chez Savey, où il était promis à un bel avenir, bon père et époux fidèle. Même si l'épisode Catherine n'avait jamais été totalement éclairci. Ne l'avait-elle pas aimé pour cette sécurité qu'il lui apportait ? En l'épousant, elle avait trouvé une famille. Une vraie. Ses beaux-parents adorables. Ils l'aimaient comme si elle était leur fille. Sa belle-mère répétait à tout venant : J'ai une bru épatante. Les syllabes explosaient sur ses lèvres avec le bruit d'un bouchon qui saute : É-pa-tante ! Mado, rigolarde : Je t'échange Roland contre ta belle-mère. Des gens bien. Elle leur devait dix ans de bonheur. Pas le genre de bonheur fulgurant et fou dont les filles rêvent à dix-huit ans, mais elle n'était pas non plus ce genre de fille. Un bonheur paisible. Peut-être qu'elle en avait marre. Le cap de la trentaine. Lasse d'être toujours entourée, protégée, conseillée, guidée. Une fleur de serre. La rencontre avec Guy de Laraudie n'aurait-elle été qu'un prétexte ? Sois honnête avec toi-même, ma fille, si tu ne l'es pas toujours avec les autres : tu brûlais d'envie de bouger. Pas pour fuir, comme les pétochards, pour aller au contraire à la rencontre des choses bouleversantes et passionnantes qui déboulaient en bousculant le décor. Irresponsable, elle était irresponsable. Robert avait raison. Les enfants. Et là, ce soir, son quatrième verre de vin, elle qui ne buvait jamais, jamais ! simplement tremper ses lèvres quand ils dînaient en ville, elle se sentait un peu pompette.

Elle avait été très moche avec le garçon. Il s'était dévoué pour eux et elle le traitait comme une Maria qui aurait été à la hauteur. Son incroyable courage face aux deux brutes. Il y avait gagné une observation sur sa manière de se tenir à table. Il faut avouer qu'il savait être exaspérant. Cette réaction ridicule de calquer ses gestes. Il avalait aussi vite qu'avant et restait la cuiller en l'air, l'œil en coin pour savoir quand il pouvait y aller.

Il était assis dans un fauteuil modern style et la regardait, allongée sur le divan du cosy-corner. Elle avait remis sa jupe de toile beige, la tache de pipi pratiquement disparue au lavage, et son chemisier fuchsia à manches ballon.

Ils restaient silencieux depuis un bon moment. Vraiment étonnante, sa difficulté à parler. Surtout chez un garçon de son âge et après ce qu'ils avaient vécu cet après-midi. Un autre aurait été survolté, volubile, heureux de commenter son exploit. Son Chemin des Dames à lui. Pas du tout. Elle se sentait frustrée. Elle ne pouvait pas en présence des enfants, mais elle avait des tas de questions à lui poser. Ce qu'il avait fait était quand même extraordinaire. Seize ans. Six de plus que Philippe. Le dialogue avait été bref. Tu te bats souvent ? Pas souvent mais des fois faut bien. Où as-tu appris ? Ben, j'ai pas appris. Et tu n'as pas eu peur ? Celui-là qui montre qu'il a la trouille, c'est même pas la peine, il est mort d'avance. Le blond, je ne dis pas, mais l'autre, Gustave, le géant, c'était David contre Goliath... David contre qui ? Avec sa chaise, un homme si fort, il pouvait te casser en deux. Les grands malabars comme ça, c'est aux pattes qu'il faut les choper, ils se méfient pas. Elle commençait à le connaître, le garçon. Quand il en avait assez des questions, un coup d'œil à gauche, un coup d'œil à droite, ce qui lui donnait l'air d'un lapin affolé cherchant une issue. Elle n'avait aucune envie de le tarabuster.

Ses yeux gris ne la quittaient pas. Elle avait l'impression qu'il l'avait davantage regardée en quelques jours que Robert depuis une flopée d'années. Elle avait l'habitude du regard des hommes. Une femme avec de longues jambes, forcément. Jusqu'à ce gros porc puant. Le garçon, c'était différent : il ne contemplait que son visage.

Léger comme il était, elle n'aurait aucun problème pour l'expulser. Robert commençait toujours par la caresser longuement et savamment. Il avait la main très belle. A Chantilly, quand la belle-mère vantait à l'assemblée les doigts de pianiste de son fils, Robert et elle échangeaient un furtif sourire de complicité. Il savait jouer sur son clavier. Une découverte. A la différence de la plupart de ses compagnes de Saint-Dominique, elle s'abstenait. Aucune envie. Elle avait éprouvé le plaisir pour la première fois à Venise. Bien agréable. Évidemment, rien de comparable aux extases suggérées par certains romans, mais les auteurs sont toujours des hommes. Riche d'expérience dans ce domaine, Mado était formelle : Avant, c'est bien. Quand ils te fourrent leur machin, terminé, il ne te reste plus qu'à fermer les yeux et à pousser des petits cris pour que le bonhomme ne s'éternise pas. Mais, contrairement à Mado qui était stérile, ou bien c'était Roland, on ne savait pas trop, elle gardait les yeux bien ouverts. La méthode Ogino avait montré ses limites. La preuve : Philippe. Le retrait ne fonctionnait pas à tous les coups – la preuve : Sylvie –, mais quoi d'autre ? Quand Robert se mettait à l'ouvrage pour son propre compte, les brumes légères du plaisir se dissipaient aussitôt et elle n'était plus qu'acuité et vigilance. Elle avait appris à déchiffrer les signaux annonciateurs. Le moment venu, ses mains posées sur les hanches de Robert l'expulsaient sans ménagements en même temps qu'une rapide torsion du bassin la mettait hors de danger. Parfois, le pauvre chéri ronchonnait. Elle s'y prenait trop tôt. Mieux vaut trop tôt que trop tard.

Jean, tu as déjà fait l'amour avec une femme ?

Il baissa les yeux et secoua la tête.

Viens.

Ses lèvres étaient tièdes. Il les gardait serrées. L'inexpérience. Elle tenta vainement d'y glisser sa langue. Son corps mince et dur. Il fut vite nu. Il bandait si fort que son sexe se plaquait contre son ventre. Après l'avoir déshabillé, elle ôta son chemisier, puis sa jupe et sa culotte, et s'allongea sur le divan. Il respirait vite, comme un coureur après la ligne d'arrivée. Elle le fit se coucher sur elle. Elle avait envie qu'il lui embrasse les seins. Il se contenta de frotter sa joue contre ses mamelons. Surtout, ne pas le brusquer. Son vaillant David, implacable au combat et si démuni dans l'amour. Ses mains ne se lassaient pas de le caresser. Sa peau très douce. Ses fesses incroyablement compactes. Il ne bougeait pas. Il faudrait tout lui apprendre. C'était excitant. Mais elle ne savait pas trop comment s'y prendre. Le mieux était peut-être de le laisser jouir rapidement. Il devait avoir une envie terrible. Elle ouvrit les jambes. Le garçon se dégagea, se mit à genoux, la prit aux hanches et, d'un mouvement décidé, la fit rouler sur le ventre. Elle n'était pas revenue de son étonnement que la bouche du garçon effleurait son dos avec des coups de langue ici et là, comme s'il la goûtait. Ses mains empaumaient ses fesses. Ensuite, sa bouche se posa sur sa nuque et descendit le long de la colonne vertébrale. Quand elle arriva au creux des reins, elle voulut l'empêcher d'aller plus bas, mais il écarta son bras d'un geste définitif. C'était affreusement embarrassant. La luxuriante pilosité qui fourrait le sillon de ses fesses faisait sa honte secrète depuis l'adolescence. Elle s'en était ouverte à son gynécologue. Morin avait relevé ses lunettes sur son front et lâché de sa voix professorale :

Foisonnement pileux de l'entrefesson. Comme si de définir le problème en jargon médical suffisait à le supprimer. Elle n'avait pas osé insister. Fort heureusement, Robert n'aurait jamais eu l'idée de lancer une expédition dans une région aussi exotique. Le garçon lui écartait maintenant les fesses à deux mains et sa langue fourrageait dans la jungle tandis qu'il émettait une sorte de ronronnement repu. Quelle histoire. Elle allait y mettre bon ordre quand l'action se déplaça vers une zone plus orthodoxe. S'allongeant sur elle, le garçon retroussait sa tignasse sur sa nuque. Il l'embrassa avec beaucoup de douceur, piquant des baisers dans ses frisons. Puis elle sentit sa mâchoire grande ouverte s'emparer de sa nuque. Les dents n'appuyaient pas. Il s'y reprit à plusieurs fois, comme pour s'assurer la meilleure préhension. Les dents serrèrent. Ce n'était pas insupportable, mais elle avait la tête bloquée sur l'étoffe du divan, qui sentait la poussière. Elle revit une photo publiée dans *L'Illustration*. Un lion bondissant sur le dos d'une gazelle et lui brisant la nuque d'un coup de mâchoire. En bas, on s'agitait de nouveau. Le sexe bandé battait contre ses fesses. Il n'allait quand même pas ? Mais si. La surprise éclipsa la courte douleur. Il jouit très vite mais resta fiché en elle sans rien perdre de sa rigidité. Quand il recommença son va-et-vient, était-ce la sidérante nouveauté de la chose, la sécurité exquise qu'elle lui garantissait ou quelque autre mystérieuse raison, toujours est-il qu'elle s'entendit gémir de plaisir pour la première fois de sa vie.

13

Le garçon et Philippe faisaient mansarde commune et s'étaient lancés dans la fabrication de lance-pierres. Sylvie parlait toute seule dans la sienne. Elle-même se cassait les dents depuis un bon moment sur le mot en six lettres défini par « Garnit et parfume la haie ». Elle avait trouvé au fond de la cave une pile de journaux à moitié moisis, datés de l'année 1938. *Le Petit Angevin*. Avenue Victor-Hugo, elle faisait chaque jour les mots croisés du *Figaro* et quand elle échouait à terminer la grille Robert lui trouvait la solution en rentrant du travail.

Ils passaient désormais la journée au dernier étage, seule solution pour bénéficier de la lumière du jour sans devoir au moins entrouvrir une persienne. Au lieu de rouscailler contre leur incarcération, comme elle s'y attendait, Philippe et Sylvie s'étaient amusés comme des fous à meubler chacun sa mansarde avec des petites tables, des chaises et des bricoles prises dans les étages inférieurs. Car les pièces du troisième étaient rigoureusement vides. Les cavalcades dans l'escalier présentaient l'avantage de leur donner de l'exercice. La veille, personne n'avait mis le nez dehors. Mais cette matinée était si radieuse qu'elle avait décidé qu'une goulée d'air frais leur ferait du bien. Une heure de récréation au portique. Le garçon montait la garde au débouché de l'allée sur la route, prêt à donner l'alarme.

Intriguée par le babil ininterrompu de Sylvie, elle se leva pour aller voir ce qu'elle traficotait. Assise à sa table face à la lucarne, la petite semblait faire une réussite, sauf qu'elle ignorait tout des réussites et que les cartons rectangulaires qu'elle manipulait étaient plus grands que des cartes à jouer. Elle entra dans la pièce. Des cartes postales. Qu'est-ce que tu fais, poussinette ? Tu vois bien, je dis ce que les gens s'écrivent. Mais tu ne sais pas lire… Je sais que je sais pas lire, mais ça m'empêche pas de dire ce que les gens s'écrivent. Où as-tu trouvé ces cartes ? Dans la cachette. Quelle cachette ? Je peux pas te le dire parce que maintenant c'est ma cachette à moi. Et qu'est-ce que tu caches dans cette cachette ? Des niouniou pour si on perd encore la mienne. Elle avait coupé un bout des hideuses bretelles qu'elle ne supportait plus de voir enroulées autour de l'avant-bras de Sylvie, mais la petite avait refusé qu'on jette le reste pour le cas où le morceau qu'elle tétait disparaîtrait à son tour. Sylvie, je suis sérieuse, dis-moi où est cette cachette et je te promets de garder le secret. C'est ma cachette à moi. Entêtée comme une mule. Rien ne l'en ferait démordre. Tu as trouvé autre chose dans cette cachette ? Non, que les cartes postales. Pour ça, on pouvait lui faire confiance : elle ne mentait jamais. Philippe, c'était moins net.

La suggestion d'une distribution de chocolat expédia Sylvie vers la cuisine.

Les cartes postales représentaient les monuments célèbres de villes étrangères. Roumanie, Hongrie, Turquie, Allemagne, Pologne, etc. Elle en compta dix-huit. Bizarres, les cartes. Toutes de la même écriture mais signées chaque fois d'un prénom différent. Olga, Nadia, Maroussia, Anna, Marina, Irina, etc. Pas le genre « Bons baisers d'Istanbul ». D'Istanbul, justement : « Les enfants vont bien et travaillent beaucoup. » De Berlin : « Hank est entré à l'hôpital pour son opération urgente de l'appendicite. Il a bon moral et saute dans son lit comme un cabri. » Faire le cabri avec un appendice enflammé, elle demandait à voir. Encore plus bizarre : le timbrage ne correspondait pas à la carte. Celle qui représentait la basilique Sainte-Sophie d'Istanbul avait été postée à Varsovie. Un timbre belge au verso du Parlement de Budapest. Le destinataire était un certain Marcel Delaunay. Les mêmes initiales que Marc Delassus. Les cartes étaient adressées à la poste restante de plusieurs arrondissements parisiens. Elle vérifia les dates. L'hôtel de ville de Stockholm ouvrait la série. Posté le 7 juillet 1937 à Bruxelles. Le palais Farnèse de Rome la fermait, tamponné à Berlin le 9 mars 1939. Maroussia annonçait que Bernard n'arrivait pas à réparer son piano.

Ni queue ni tête. Fantômas lui-même y aurait perdu son latin. Une écriture féminine, pour autant qu'elle pouvait en juger. Cette Olga-Nadia-Anna, etc., aurait donc sillonné l'Europe pendant deux ans pour envoyer à Paris d'énigmatiques messages. Un examen plus attentif révéla qu'il n'y avait en réalité que trois villes d'expédition : Varsovie, Berlin et Bruxelles. Mais pourquoi choisir des cartes d'Istanbul ou de Budapest ? Cela correspondait-il à un code ? Elle ne lisait jamais de romans d'espionnage. Pierre Nord, ce genre de chose. Elle en entendait parfois parler dans des dîners. Des histoires de bonshommes pour les bonshommes, avec l'inévitable vamp à fume-cigarette qui amène le jeune officier français au bord de la trahison. La cinquième colonne ! L'intuition lui donna une bouffée de chaleur. Comment n'y avait-elle pas pensé plus tôt ? On en parlait depuis longtemps à Paris et, dans leur lamentable exode, chaque fois que les conversations s'engageaient à l'occasion d'un arrêt, il se trouvait toujours quelqu'un pour évoquer les parachutistes allemands déguisés en religieuses.

La cinquième colonne... Robert haussait les épaules. Un fond de vérité et beaucoup de bobards. Son père et lui étaient énervants à force de ne pas penser comme tout le monde. Personnellement, elle s'en fichait. La politique l'assommait. Elle n'y comprenait rien. N'empêche que les gens qu'ils fréquentaient étaient pour Franco. Robert et son père n'aimaient évidemment pas les Rouges, mais la victoire des autres ne leur avait fait aucun plaisir. Le beau-père avait d'abord apprécié Mussolini : Il a réussi à faire travailler les Italiens et ce n'est pas un mince exploit. Et puis la cote de Mussolini s'était effondrée. Hitler, n'en parlons pas. Même le Front popu, qui avait mis leurs amis aux cent coups, ne les effrayait pas plus que ça. On trouvait insupportable qu'ils ne prennent pas franchement parti. Luc Langlois, bon copain, même promotion que Robert, l'asticotait chaque fois qu'il venait dîner à la maison. Mon petit vieux, tu ne pourras pas éternellement tourner autour du pot, le temps approche où il faudra choisir son camp. Selon Robert, il fricotait avec des types d'extrême droite plutôt inquiétants. Un soir, Robert, la voix anormalement basse qu'il avait quand il était très en colère : Mon choix est fait depuis 1789 : c'est la république. On n'avait plus revu Luc. Le beau-père, quand Robert lui avait raconté : Superbe ! Digne de l'antique !

Avec cette seule réserve que la république, je te signale, ce n'est pas 89, c'est 92. Ils n'en finissaient plus de rigoler. Le père et le fils s'entendaient vraiment bien.

D'un autre côté, si Marc Delassus, alias Marcel Delaunay, était un espion allemand installé en France, quel intérêt pour lui de recevoir des informations de Varsovie ou de Bruxelles ?

Elle en parlerait à Robert.

Robert. Il y aurait du tri à faire. Difficile de ne rien dire des deux brutes. Philippe ou Sylvie risquaient de les mentionner. Le strict minimum. Elle laisserait les enfants évoquer en long et en large le garçon. Elle savait déjà quel sourire amusé et bien-veillant elle arborerait en les écoutant devant son mari. Oui, un garçon sympa-thique, serviable, assez brut de décoffrage, bien sûr, mais les petits l'adoraient. Espèce de garce. Tout le monde ment. La lettre extravagante de Catherine trouvée dans la poche du pantalon de Robert qu'elle donnait à Maria pour le pressing. Elle traverse une crise de mysticisme, avait expliqué Robert, franc comme un âne qui recule. Tu parles. Elle s'en voulait de la pensée vulgaire qu'elle avait eue en s'endormant après la première fois. Être utilisée de cette façon par le garçon, ce n'était pas tromper Robert. Un peu comme la basilique Sainte-Sophie d'Istanbul n'avait rien à voir avec le timbre polonais collé au verso. Ne pas se raconter d'histoires. La vérité, c'est qu'elle vivait sa journée dans l'attente exaspérée du soir. Elle fondait quand elle y pensait. Cent fois par jour. Si bien offerte, si bien ouverte, si délicieusement traversée et retraversée. Il était inépuisable. Après, il devenait tout doux, tout tendre. Elle pouvait le serrer contre elle, l'embrasser, le caresser. Elle n'en avait jamais assez. La dernière nuit, l'aube blanchissait un coin du ciel lorsqu'elle était remontée dans sa chambre. Ils ne se parlaient guère. Il lui apprenait le silence.

Le garçon partit vers six heures au ravitaillement, comme il disait. Il voulait essayer de trouver des œufs, des légumes frais et des fruits. Les bougies aussi allaient manquer. Et puis voir comment évoluait la situation. Le ciel était resté vide et silencieux depuis le matin. La route, on ne pouvait pas savoir à cause de la longueur de l'allée. Il fallait le vacarme d'un tank. Et encore, avec les lucarnes fermées.

Neuf heures. Il avait promis de ne pas lambiner. Elle aurait tellement préféré qu'il ne parte pas. Les enfants avaient toute la vie pour manger des légumes frais. On se foutait des légumes frais. Mais quand il avait décidé quelque chose.

Neuf heures et demie. Elle finissait par loucher à force de fixer le point précis de l'allée où il allait apparaître. Elle se tenait avec les enfants dans une mansarde de la façade. Celles où ils s'installaient pour la journée donnaient sur l'arrière. Elle avait recommandé à Philippe et à Sylvie de ne pas s'approcher des lucarnes, mais à leur âge. A l'arrière, c'était moins dangereux. Elle avait peur d'un retour du gominé, pour se venger. Seul ou avec quelques fripouilles dans son genre ramassées en chemin. Le couteau du garçon ne pèserait pas lourd face à un fusil.

Des détonations retentirent, toutes proches. Elle étreignit les enfants si fort que la petite cria. Encore une série de coups de feu. Au moins cinq. C'était comme si chaque balle lui transperçait le corps. Elle ferma les yeux et entendit Philippe hurler : Le voilà ! Le garçon courait dans l'allée, les deux mains en arrière pour stabiliser le sac à dos bringuebalant.

14

Sylvie dormait sur le divan du cosy-corner. Le garçon et Philippe jouaient aux dames. C'est fou comme on se fabrique vite des habitudes. La soirée commençait par la partie de petits chevaux. Quand les yeux de Sylvie papillotaient, va t'étendre rien qu'une minute, poussinette, on reprendra, oui, c'est promis, dès que tu te sentiras reposée. Philippe installait le jeu de dames. Il réfléchissait à n'en plus finir, elle l'aurait tué, avant de pousser un pion. Tout petit déjà, il n'avait pas besoin d'un gros sommeil. Comme son père, levé dès six heures du matin.

Elle tricotait, assise dans un fauteuil. On lui aurait annoncé qu'elle s'y remettrait, elle aurait éclaté de rire. Le tricot l'avait toujours prodigieusement barbée. En cinquième, une vieille dominicaine enthousiaste s'efforçait une heure par semaine de les passionner pour le point de riz, le point de jersey, le point mousse. Son ahurissement quand le garçon avait sorti de son sac à dos les aiguilles, la pelote de laine grenat et ce début de tricot. Il avait trouvé le tout derrière la caisse de l'épicerie. Une visite aussi dans un magasin de vêtements. Pour Sylvie, une blouse grise trop grande d'une tristesse à pleurer, pour Philippe une chemise de toile écrue qui lui ferait au moins de l'usage, pour elle une jupe à carreaux en coton qu'elle aurait bien vue sur Maria. C'est l'intention qui compte. On avait tous embrassé le garçon sur les deux joues. Il rayonnait comme un Père Noël.

Pas de légumes frais. Des bougies. Quelques poignées de cerises cueillies sur un arbre. Neuf œufs ramassés dans un poulailler. Ils avaient miraculeusement résisté au sprint final. Rien que d'y repenser, elle en avait des frissons. Des soldats allemands qui cassaient la croûte dans le bois, juste avant la propriété. Trois ou quatre avaient sauté sur leur fusil. Mais pourquoi ? Ils tirent sur les civils, maintenant ? Je me suis dit qu'il valait mieux me tailler que de leur demander pourquoi ils me flinguaient. Ses yeux gris pétillaient. Il se payait sa tête. N'empêche que c'est elle qui avait trouvé l'explication : Avec ton sac à dos, ils t'ont pris pour un soldat.

Pour le tricot, il ne plaisantait pas. Il avait sorti le fourbi de son sac comme si c'était le saint sacrement. Elle ne savait vraiment pas quoi dire. C'est pour vous. Ça, elle s'en doutait. Vous aimez tricoter ? Elle allait répondre que non, pas du tout, et s'était retenue juste à temps. Je vais m'y remettre avec plaisir. Et puis les journées sont si longues. Il n'avait pas compris. Elle lui avait effleuré la joue de la main, il fallait qu'elle le touche, elle avait une envie folle de le prendre dans ses bras. Merci, c'est gentil d'avoir pensé à moi.

Il avait l'air heureux. La veille, il pianotait impatiemment sur la table en attendant que Philippe se décide à pousser un pion, mais il savourait chaque minute de cette soirée. Il avait l'expression satisfaite d'un metteur en scène qui a enfin trouvé la solution. La petite dormant dans le cosy-corner, Philippe cherchant, le front plissé, comment aller à dame et elle qui tricotait dans son fauteuil, un point à l'endroit, un point à l'envers. Elle lui souriait quand leurs regards se croisaient. Pensait-il comme elle à ce qui allait suivre ? Elle n'en avait pas l'impression. C'était une autre qui, lorsque les enfants seraient enfin au lit, se retrouverait la nuque clouée sur le divan, le haut du corps captif, tandis qu'en bas se démènerait sa croupe envahie.

15

Le lendemain soir, le garçon ne rentra pas.

16

Elle se réveilla courbatue, la tête migraineuse. Le soleil était déjà haut. Elle avait passé la nuit dans la mansarde de la façade à guetter son retour. Même au plus fort de l'obscurité elle se disait qu'elle repérerait la tache claire de sa Lacoste et de son pantalon de lin. Tout ce blanc qui faisait de lui une cible parfaite. Les deux portes d'entrée, devant et derrière, n'étaient pas verrouillées.

Les enfants catastrophés. Philippe refusait de se coucher et pour Sylvie, pas question d'y aller toute seule. Ils avaient fini par succomber au sommeil. Après la prière pour papa, Sylvie avait exigé qu'on en récite une pour le garçon. Bien sûr, poussinette, c'est une bonne idée. Elle n'avait jamais prié avec autant de ferveur et autant de certitude de n'être pas exaucée.

A deux heures du matin, épuisée d'angoisse, elle s'était assise sur le parquet en sapin, adossée à la cloison, et s'était endormie. La suite avait été une alternance de brusques réveils, elle était sûre d'avoir entendu quelque chose, et d'assoupissements cauchemardeux.

Assise sur la chaise, elle reprit sa faction sans espoir. Le garçon était mort ou grièvement blessé. Elle ne le reverrait jamais. Les larmes vernissaient ses joues.

Une camionnette blanche déboucha dans l'allée. Elle fut debout d'un bond et s'écarta de la lucarne, ne risquant qu'un œil. La camionnette roula lentement jusqu'à la maison et s'arrêta parallèlement à la façade. Sur son flanc étaient peints en lettres rouges les mots abracadabrants « Boulangerie Leboulanger ». Elle se demanda si elle ne perdait pas la raison en voyant sortir deux gendarmes. Les mains sur les hanches, ils examinaient la façade. Un quinquagénaire, l'autre beaucoup plus jeune.

Elle sortit de la mansarde et se rua dans l'escalier.

Des gendarmes. Cela signifiait la fin de la peur et des incertitudes, le retour à l'ordre normal des choses. Il n'arriverait plus rien aux enfants. Une part d'elle-même exultait. C'était comme au cimetière, après l'inhumation, quel que soit le chagrin la vie reprend ses droits, des petits groupes se forment, on échange des nouvelles, ça fait une paye qu'on ne s'est pas vus, excusez-moi un rendez-vous urgent. Elle avait enterré le garçon, elle savait qu'elle ne l'oublierait jamais, mais il y avait aussi Sylvie, Philippe, Robert, les beaux-parents, les amis. Son monde à elle.

Les gendarmes étaient en train de remonter dans la camionnette. Ah bon, il y a quelqu'un. Ils ressortirent et la saluè-rent, la main au képi. Bonjour, madame. Le chef avait un visage débonnaire, une petite moustache poivre et sel et les jambes en arceaux. Le jeune, une trentaine d'années, l'œil vif, le nez et le menton pointus. Vous habitez ici ? Oui, enfin, provisoirement. Vous connaissez les propriétaires ? Non, pas du tout. Mais alors, qu'est-ce que vous faites dans cette maison ? Nous avons été mitraillés sur la route, monsieur, ma voiture a brûlé, j'ai deux jeunes enfants, il fallait bien leur trouver un toit. Comment êtes-vous entrée ? Elle hésita. Une persienne était mal fermée. D'accord.

D'un mouvement du menton, le chef désigna la camionnette à son subordonné, qui alla ouvrir la double porte arrière. Notre véhicule est en panne, expliquait le chef, nous avons emprunté celui du boulanger. Un bon sourire éclaira son visage : Comme son nom l'indique.

Le garçon sortait de la camionnette. Ses mains étaient menottées devant lui. Une ecchymose bleuissait sa pommette gauche. Il gardait la tête baissée.

Vous connaissez cet individu ?

Le souffle coupé. Un revenant, un fantôme surgi d'une vie antérieure.

Madame, vous le connaissez ?

Le garçon releva la tête. Ses yeux gris. Elle avait appris à déchiffrer leur langage. Message négatif. Ils ne se connaissaient pas.

Pourquoi me demandez-vous cela ? Elle pataugeait. Je vous le demande parce que je vous le demande. L'adjoint : On a nos raisons. Elle les regardait successivement tous les trois. Elle se sentait complètement perdue.

Une cavalcade derrière elle et Philippe, en slip, se jette sur le garçon en criant : Jean ! Jean ! puis recule, stupéfié par les menottes.

Voilà toujours une question réglée, constata le chef avec satisfaction. Je crois bien que nous allons entrer un moment, histoire d'avoir une petite explication. A la fin de chaque phrase il lançait un coup d'œil vers le jeune gendarme, comme pour vérifier qu'il était d'accord, et le jeune opinait d'un hochement de tête.

17

Le chef et elle s'assirent dans le salon dont elle avait ouvert les persiennes. Le garçon resta debout devant le cosy-corner. Elle avait réexpédié Philippe dans sa chambre. Il ne voulait pas. Philippe, tu montes et tu attends que j'aille te chercher, compris ? Elle était à cran. L'adjoint inspectait la maison. En entrant à son tour dans le salon : Rien à signaler.

Petite madame, dit le chef, racontez-nous un peu comment vous avez rencontré ce voyou et ce que vous faites avec lui dans une maison qui ne vous appartient pas. La moutarde lui monta au nez. Je t'en ficherai des petite madame. Monsieur, on ne me parle pas sur ce ton. Mon mari, polytechnicien, est lieutenant d'artillerie. Mon beau-père, colonel de réserve, mutilé de guerre, est commandeur de la Légion d'honneur. Je me fais bien comprendre ? Oui, il avait compris, il tiraillait les poils de sa moustache avec la tête d'un homme dont le destin est de toujours tomber sur des polytechniciens et des commandeurs.

Elle raconta la route, l'embouteillage, l'attaque du stuka, le rôle du garçon, ses parents disparus dans le bombardement de la gare d'Abbeville. Voilà, c'est aussi simple que ça. Vous savez, quand un avion vous mitraille, vous n'échangez pas des cartes de visite.

Un silence. Les deux gendarmes méditaient.

Madame, dit le chef, avec tout le respect que je vous dois, je vous trouve un peu naïve, excusez le mot. Il regarda le garçon. Ça n'a pas de parents, pas de famille, ça n'a jamais mis les pieds à Abbeville, ça ment comme un arracheur de dents, ça sort tout droit de Mettray, vous savez ce que c'est,

Mettray ? Non, elle ne savait pas. La colonie pénitentiaire de Mettray, autant dire le bagne pour enfants. On y enferme la vermine dans son genre, de la graine d'échafaud. Ils sont plusieurs à avoir profité des événements pour s'évader. On avait déjà arrêté un de ses copains et il a formellement identifié celui-là.

Le garçon, tête basse, restait impassible. Il avait l'habitude du malheur. Elle s'en voulut de ne pas l'avoir pressenti.

Comprenez-moi, monsieur. Mettray, tout ce que vous me racontez, c'est son problème. Moi, mon problème, c'est de me retrouver avec mes deux gosses dans cette épouvantable pagaïe. Les événements, comme vous dites. Jean m'a été précieux. Sans lui, j'aurais subi la pire épreuve qu'une femme… Impérieux message négatif des yeux gris. Elle laissa sa phrase en plan. Elle ne le comprenait pas. Que pouvait-elle dire de plus fort en sa faveur ? Elle enchaîna bêtement, d'une voix qui ne collait pas : Oui, la pire épreuve, je crois bien que j'aurais vu mes enfants mourir de faim sous mes yeux.

Avec un synchronisme parfait les sourcils des deux gendarmes se mirent en accent circonflexe, puis revinrent à leur position normale.

Justement, dit le chef. Justement. Une épicerie de Banchais a été cambriolée. Deux fois. Le magasin Modes de Paris aussi. Une fois. Les vêtements, à ma connaissance, c'est peu nourrissant. Un poulailler forcé, mais bon, laissons de côté le poulailler. La nuit dernière, il s'apprêtait encore à entrer par effraction dans l'épicerie que nous avions placée sous surveillance.

Elle éclata de rire. Les chers pandores. La France se brisait en mille morceaux, mais, comme de braves fourmis industrieuses, ils continuaient d'accomplir leurs petites besognes. Excusez-moi, messieurs, mais je vous trouve très drôle. On est en pleine guerre, des soldats allemands tiraillaient encore avant-hier soir dans le bois à côté et vous venez me parler d'une épicerie et d'un poulailler, tous deux d'ailleurs abandonnés par leurs propriétaires.

Le chef, bouche bée, se frottait le menton. Elle comprit à l'expression du plus jeune qu'il se demandait si elle n'était pas folle.

La guerre, mais elle est finie, la guerre, madame, vous n'êtes pas sans ignorer que le Maréchal a demandé l'armistice. Le maréchal ? Quel maréchal ? Le maréchal Pétain, madame ! Pétain… Le beau-père avait tenu à ce qu'ils prénomment leur garçon Philippe. Le chef lui parlait très lentement, comme à une demeurée. Elle entendit le reste dans un brouillard. On ne se battait plus depuis tantôt une semaine. Tiens ! le lendemain du jour que vous avez été mitraillés. Le calme régnait dans le canton. Les Allemands avaient installé une kommandantur à Banchais. Très corrects, très compréhensifs. On travaillait la main dans la main. Le major Billig avait même insisté pour faire réparer le fourgon de la gendarmerie dans leur atelier mobile de campagne. Le jeune intervint avec autorité : S'ils nous donnent un coup de pouce pour remettre de l'ordre dans ce pays qui en a bien besoin, on pourra dire qu'une fois de plus un bien est sorti d'un mal. Le chef leva une main modératrice : Ne nous emballons pas, Pitard, avec le Maréchal on devrait s'en tirer tout seuls.

C'était son tour de baisser la tête. Elle ne supportait plus leur curiosité perplexe. Ils devaient se demander comment un polytechnicien avait pu épouser une conne pareille.

Ce qui me chiffonne, dit le chef, c'est cette histoire de coups de feu avant-hier. Vous êtes certaine qu'il s'agissait de coups de feu ? Comment voulez-vous que je sache… Oui, ça y ressemblait. Le jeune fit claquer ses doigts : Ce ne serait pas les pétards ? Le chef hocha la tête : C'est vrai, la plainte de Mansion porte aussi sur des pétards, des pétards sur bande.

Le garçon la regardait et, pour la première fois, elle lui vit un visage défait et
honteux. Elle s'efforça de faire passer dans
son propre regard tout l'amour qu'elle put
mobiliser, en espérant que lui aussi com-
prendrait le message. Mais elle était si
bavarde qu'il n'avait pas son entraînement
pour déchiffrer le langage des yeux.

Pourquoi vous le reluquez comme ça ?
demanda le jeune gendarme. Sa pommette.
Vous l'avez frappé. Le chef indigné : Mais
jamais de la vie, madame ! C'est la camionnette, il n'y a pas de siège à l'arrière et, dans
un virage, Pitard roulait trop vite, sa tête a
été valdinguer contre la tôle.

Elle se leva. Excusez-moi. Le jeune
gendarme fronçait les sourcils. A la porte,
elle ajouta d'un ton gêné : Un besoin
pressant. Ils eurent un petit sourire supé-
rieur. C'est toujours comme ça avec les
hommes. A croire qu'ils ne pissent jamais.

Elle passa vivement dans la cuisine, prit
le couteau dans le tiroir, sortit de la maison
et courut jusqu'à la camionnette. Ils ne

pouvaient pas la voir depuis les fenêtres du salon. La double porte grinça effroyablement. Quelques sacs vides, saupoudrés de farine, étaient empilés sur le plancher nu. Le sac du dessus portait encore l'empreinte des fesses du garçon. Elle glissa le couteau sous le tas et vérifia du plat de la main qu'il serait impossible de s'asseoir sans se rendre compte de sa présence.

A son retour, le jeune gendarme marchait de long en large dans le salon. Le garçon n'avait pas bougé. Une statue. Vous avouerez qu'elle n'est pas ordinaire, votre histoire, lança le jeune gendarme tout feu tout flamme. L'épouse d'un officier avec une petite frappe évadée d'une colonie pénitentiaire ! Pour moi, monsieur, ce n'est pas plus extraordinaire que des gendarmes français avec un major allemand. Il se tourna vers le chef : Je crois qu'on devrait poser quelques questions aux enfants. Le chef, pensif, se frottait de l'index l'arête du nez. Je ne crois pas, dit-il enfin. Les pauvres gamins ont eu leur compte d'émotions, inutile d'en rajouter. Le jeune eut un geste de dépit, mais il était clair qu'on ne se souciait plus de son assentiment. Le chef se leva. Pardon pour le dérangement, madame. Nous, tout ce qu'on voulait, c'est vérifier qu'il ne volait pas cette nourriture pour d'autres crapules de Mettray. Comme il refusait de dire où il la ramenait, on a décidé de faire le tour des maisons vides qui pouvaient leur servir de cachette.

Elle les raccompagna jusqu'au perron.

18

Dix minutes plus tard, elle quittait la maison avec les enfants. Avant de s'asseoir dans la camionnette, le chef lui avait annoncé qu'il signalerait leur existence à la mairie, où un service était en charge des réfugiés. On s'occuperait d'eux. Philippe et Sylvie avaient compris qu'elle n'était pas d'humeur à tolérer les ronchonnements.

Elle s'en voulait d'avoir oublié de demander au garçon de lui trouver des chaussures. Plutôt des sandales. A une pointure près, même deux, des sandales vont toujours. Elle avait remis ses escarpins et son talon droit restait sensible. De toute façon, elle était bien décidée à arrêter la première voiture ou le premier camion qu'ils croiseraient. On ne refuse pas de faire monter une femme et deux enfants.

Elle avait hâte d'être à Paris. C'est à Paris qu'elle aurait des nouvelles de Robert. Il était vivant, elle en avait la certitude intime. Au pire, une blessure. Quand même pas un bras coupé. Prisonnier ? Exclu. Pas lui. Et s'il l'attendait déjà avenue Victor-Hugo ? Maria devait y passer tous les jours. Garderait-elle Maria après son sale coup ? Pour plus de précaution, elle avait laissé un mot sur le guéridon de l'entrée. Robert ouvrant la porte, son visage ahuri, ahuri et heureux, les enfants qui se jettent dans ses bras et elle qui attend son tour pour l'étreindre et l'embrasser. En même temps, légère appréhension. C'est un inconnu qu'elle allait retrouver. Un inconnu, n'exagérons pas, mais enfin les épreuves endurées depuis six semaines l'avaient sûrement beaucoup changé.

Impression réalisée sur CAMERON par

BUSSIÈRE CAMEDAN IMPRIMERIES

GROUPE CPI

à Saint-Amand-Montrond (Cher)
pour le compte des Éditions Fayard
en décembre 2000